Mijn vrouw *& andere stukken*

Ronald Giphart

Mijn vrouw
& andere stukken

Uitgeverij Podium
Amsterdam

© 2009 Ronald Giphart
Omslagontwerp Studio Ron van Roon
Typografie Sander Pinkse Boekproductie
Foto auteur Keke Keukelaar

Verspreiding voor België: Van Halewyck, Leuven

ISBN 978 90 5759 169 3

www.uitgeverijpodium.nl

Hup Lasse!

Bril

Het is een dagdroom die ik vroeger vaker had dan tegenwoordig: ik ben in een vol stadion en vlak voordat de wedstrijd begint breekt een spelbepalende speler bij de warming-up een lichaamsdeel. Zuchtend kijkt de Weense trainer Ernst Happel om zich heen, want in mijn droom zijn alle reserves toevallig óók net geblesseerd. Happel is op zoek naar iemand op de tribune die eruitziet alsof hij wel een balletje kan trappen. Dan ziet hij mij. Ongeduldig begint hij te gebaren. Waar wacht ik verdoemme nog op?

'Maar ik ben al buiten adem als ik iemand een voorzet zie geven,' roep ik. De trainer schudt zijn hoofd.

'Kein geloel, Fußball!' zegt hij, en hij stuurt me het veld in.

Varianten op deze droom heb ik beleefd met popidool Paul Weller (ik ben bij een concert en Wellers drummer blijkt ziek), topkok Gordon Ramsay (die in de keuken zijn souschef heeft gekeeld) en regisseur Paul Verhoeven (die voor de met buikloop geplaagde tegenspeler van Carice van Houten op zoek is naar een *body double*).

Gisterenmiddag werd ik om half vier gebeld door de redactie van *de Volkskrant*. Het is in het geheel niet ernstig of levensbedreigend, maar... Martin Bril zit zich met een overbelaste spier in zijn borststreek thuis te verbijten. Hij heeft rust nodig.

'Je stukie verwachten we voor zeven uur,' zei de redacteur, en hij hing op.

Die spier van Bril, die ken ik goed. De afgelopen maanden

waren Bril, Chabot en ik op een literatour de force langs Nederlandse theaters. Halverwege deze afmattende helletocht kreeg Martin last van aanhoudende steken in zijn hart. Dat is geen prettig gebied om steken in te voelen. Steken in mijn voet kan ikzelf zonder vervelende bijgedachten hebben, één bibbertje onder mijn linkertepel en de voorbereidingen van mijn crematie zijn begonnen. Zonder dat Bril, Chabot en ik ons er al te bewust van waren, gingen de gesprekken tijdens het eten niet meer alleen over islamfundamentalisme, rotondes, vrouwen en bewonderde schrijvers, maar slopen er onderwerpen in als 'later', 'dood' en 'waarom we eigenlijk doen wat we doen'.

Gelukkig bleek na onderzoek dat het probleem niet Brils hart was, maar de spiermassa eromheen. Overbelast. Verkrampt. Te veel hooi. De ringweg verstopt.

Nu zouden mensen in loondienst zich bij zo'n kwaal wellicht opgelucht ziek melden, maar dat is niet des freelancers. En al helemaal niet des Brils. Ondanks zijn spierkwaal ging Martin door met optreden, door met de tafelheren, door met zijn columns. De pijn verbijtend zat hij regelmatig in de kleedkamer te wachten tot hij weer het podium op moest om zijn smachtende lezeressenschare te vermaken. Tot twee keer toe heb ik in de krochten van een theater een bevriende arts gebeld, omdat Martin stuiptrekkend in een stoel hing. 'Het maakt me niet uit dat het geen hartaanval is, Frank, het ziet erúit als een hartaanval.

De afgelopen jaren heb ik van dichtbij mogen meemaken hoe Bril te werk gaat. Dit is een in memoriam noch een hagiografie, maar het moet toch eens worden gezegd: Brils toewijding aan het vak van 'columnist' is ongeëvenaard. Voor mij is Bril de columnistste columnist van ons taalgebied. Wat ik bijna dagelijks heb mogen vaststellen: Bril lééft voor zijn column en heeft de gave dingen te registreren die anderen over het hoofd zien. Hoe vaak heb ik niet met Bril door dezelfde

napruttelende dorpskern geslenterd, om de volgende dag verbaasd te lezen wat ik verdoemme allemaal had gemist? Ik
hoop dat Bril snel weer in het land van de schrijvenden is, en
tot die tijd droom ik lekker verder.

Kein geloel, schreiben!

Pijnstilte

Vroeger dacht ik dat ik mezelf door te schrijven in een bepaalde gemoedstoestand kon krijgen. Schreef ik iets vrolijks, dan werd ik vanzelf vrolijk. De laatste tijd heb ik steeds vaker het gevoel dat de gemoedstoestand mij uitkiest. Ben ik somber, dan schrijf ik iets sombers, en niets wat daar verandering in brengt.

Gisteren ging ik goedgemutst op weg naar Groningen, niet alleen voor een optreden bij de literaire studentenvereniging Flanor, maar ook voor een vrolijke, levenslustige column. Ik draaide monter de snelweg op, en begon ongemerkt te zuchten.

Zwangere vrouwen die tijdens hun zwangerschap kleertjes breien, kunnen jaren na de geboorte van hun kind kotsmisselijk worden van alleen al de aanblik van breipennen of bollen fleurige wol. Eenzelfde reactie heb ik de laatste tijd als ik bij Utrecht de A28 oprijd. In die hoek ligt het Wilhelmina Kinderziekenhuis, waar anderhalf jaar geleden onze toen pasgeboren baby tien weken verbleef (dit verhaal heeft een happy end, dus ik kan er met redelijk droge ogen over schrijven). Zeventig dagen achtereen heb ik deze route genomen, vaak meerdere keren per dag. En het vreemde is: ik kan er tegenwoordig niet meer langsrijden zonder ademstoten uit te slaan.

Wanneer onverwachts een stuk zeiltouw in je gezicht slaat voel je de pijn pas een paar seconden later. Deze tijd tussen klap en gevoel heb ik in een roman de pijnstilte genoemd. De pijnstilte na een kindje dat een 'slechte start' maakt om godzijdank het ziekenhuis toch gezond te verlaten, duurt meer dan een paar seconden. Hoe groter de pijn, hoe langer de stilte. In Groningen ben ik sinds een half jaar voor zijn geboorte niet meer geweest. Mijn zoontje heeft de stad wel bezocht, wat hij zich onmogelijk zal kunnen herinneren. Hoewel... Als er boven onze tuin een vliegtuig overvliegt, raakt hij in paniek.

Misschien is dat bij hem ook conditionering, want tien dagen oud was hij nog maar of hij werd met een helikopter naar het Academisch Ziekenhuis in Groningen gevlogen, voor een onderzoek dat alleen daar kon worden afgenomen. Dat had te maken met speciale apparatuur, en radioactieve stoffen, en halfwaarden, en weet ik veel.

In de film van ons leven was dat een van de zwaarste scènes: mijn vrouw en ik stonden op het dak van het AZU te kijken naar de gereedstaande helikopter. Mijn oudste zoon had vrij van school om dit spektakel van dichtbij te mogen meemaken. Wat zouden zijn klasgenoten jaloers zijn! Terwijl mannen van de brandweer hem de helikopter van binnen lieten zien, omarmde ik mijn vrouw. Tien dagen daarvoor had ze een zware bevalling gehad, en nu moest ze machteloos toekijken hoe onbekenden haar zieke baby ontvoerden.

Naast ons — in een zogenaamde reiscouveuse — lag ons kind, verdoofd voor de tocht. Hij zag eruit als een baby-Gulliver, ingesnoerd aan een kluwen van snoeren en slangen. Voor de zekerheid had de meevliegende kinderarts hem vier zogenaamde 'levenslijnen' gegeven, infusen waardoor te allen tijde noodzakelijke glucose kon worden toegediend. Ik kende natuurlijk het woord 'levenslijn', maar toen pas begreep ik de ware betekenis. Als het aan mij had gelegen hadden ze hem veertig levenslijnen gegeven.

Het regende, net als gisteren. De couveuse werd aan boord gereden, en samen met verpleegkundigen en brandweermannen keken we naar het platform. Er klonk een alarmsignaal; traag zetten de wieken zich in beweging. Mijn oudste zoon

riep langzaam 'wauauauauw' toen de helikopter zich op-
richtte van de grond, even leek te hangen en er toen vandoor
schoot.

Gisteren reed ik de tocht van mijn knulletje na, en omdat die vlucht als gezegd een happy end heeft, begreep ik niet
waarom de reis mij, anderhalf jaar nadien, zo somber stemde.

Retteketet!

Eergisteren heb ik de Internationale gezongen, wie durft dat nog te zeggen? Ik was te gast bij de literaire studentenvereniging Flanor, die voor de gelegenheid samenschoolde in Huis De Beurs te Groningen. Er gaat niets boven Groningen (een beter Utrecht, een sfeervoller Arnhem, een minder zelfingenomen Maastricht... jammer alleen dat Groningen in Groningen ligt). Huis De Beurs. Ik ken weinig panden die zoveel historie dragen als dat afgeleefde uitgewoonde losgetrapte krakende zwampenddampende huis op het A-Kerkhof. Het bestaat al sinds het eind van de achttiende eeuw en was onder andere hotel, concertzaal, bioscoop, markthal en stripteasetent. Als koffiehuis staat het in een traditie van roemruchte Europesche en Zuid-Amerikaansche uitspanningen. Marktkooplui, studenten, dichters, gezinshoofden en ondefinieerbare alcoholisten zitten er vrolijk naast elkaar; er wordt gediscussieerd, gefilosofeerd, gedronken en versierd; je hoort er smartlappen en Bach — kortom een koffiehuis zoals de God van de Koffiehuizen het ooit bedacht moet hebben.

Huis De Beurs is ook een oud socialistisch bolwerk. In 1885 werd een afdeling van de Sociaal Democratische Bond er opgericht, lezen we op een monument aan de buitenkant van het gebouw (monumenten die ik normaal voorbij loop, maar die me sinds deze invalbeurt plotseling opvallen). De Bond was een voorloper van de PvdA: men geloofde dat de marxistisch-socialistische samenleving kon worden bereikt door... revolutie! Kom daar eens om bij hedendaagse studenten. Revolutie? Is dat een kledingmerk?

Ik moet toegeven: ik ben niet van de blauwe knoop en als ik aangeschoten ben, voel ik een conservatieve nostalgische hang naar het oude progressieve erfgoed. Wat was er mis met de Stem des Volks? 'Ontwaakt verworpenen der aarde!' begon ik te zingen naar een klein gezelschap argeloze literatuurstudenten, toen ik erachter kwam dat de Internationale hun niets meer zei. Uitdrukkingsloze gezichten. 'Ontwaakt, verdoemde in 's hongerssfeer! 't Redelijk willen stroomt over de aarde, en die stroom rijst al meer en meer. Sterft, gij oude vormen en gedachten, slaafgeboornen, ontwaakt! Ontwaakt! De wereld steunt op nieuwe krachten, begeerte heeft ons aangeraakt!'

En daarmee waren we terug bij de literatuur, want journalist Bert Natter heeft vorige week gedebuteerd met een roman genaamd *Begeerte heeft ons aangeraakt*, die zich – o toeval – voor een groot deel afspeelt in Groningen. Natter en ik kennen elkaar nog van de middelbare school, toen we als Jonge Socialisten – iedereen heeft recht op een jeugdzonde – begin jaren tachtig in Hilversum een landelijke verkiezingsuitslagbijeenkomst van de PvdA bijwoonden. Dat was in een tijd dat de partij nog weleens electoraal succes haalde. We hadden ons veel voorgesteld van het overwinningsfeest, alleen bleek op de avond zelf dat de PvdA door de kiezers onverwacht werd afgestraft. Freek de Jonge, toen invloedrijk PvdA-prominent, probeerde de moed erin te houden door met de zaal het proletarische lijflied in te zetten. Natter en ik stonden vooraan en schalden meteen na de zinsnede 'begeerte heeft ons aangeraakt' puberhard 'retteketet!', tot verbijstering van de linkse schare. Met de Internationale mocht niet worden gespot.

De indrukwekkendste uitvoering heb ik ooit gehoord van VVD'er Erica Terpstra. De crematie van mijn moeder (PvdA-politica) eindigde, naar goed socialistisch gebruik, met het zingen van het strijdlied. Terpstra, een vriendin van mijn moeder, had die ochtend haar medewerkster laten zoeken naar de tekst. Ze zong de Internationale voor één keer en alleen voor mijn moeder uit enorme borst mee.

Dit bedacht ik eergisteravond: die nepsocialisten van de SP koesteren in het geheel geen fetisjistische gevoelens voor strijdliederen, dus als de PvdA bij de volgende verkiezingen wordt weggevaagd, is het waarschijnlijk definitief gedaan met de Internationale en de Socialistenmars. In De Beurs noopte deze gedachte mij liederlijk aan te kondigen dat ik uit voorzorg een PvdA-lidmaatschap zou nemen. Inmiddels, nakaterend, besef ik: die blauwe knoop was zo gek nog niet.

Het zina met de ogen

In de stad zag ik twee studenten afscheid nemen, een Nederlandse jongen en een Marokkaans meisje. 'We cammen!' riep de jongen. De lach van het meisje zette mijn fantasie in werking.

Julius-cam: 'Hé, moslimaatje!'

Fadila-cam: 'Ben ik dat? En zit je nou bier te drinken?'

'Hé, ik ben geen moslim, dus dan vindt Allah het minder erg. Heb ik gelezen op internet. Als je geen moslim bent, ben je sowieso verdoemd.'

'Ja, jij bent verdoemd.'

'Stel dat wij een keer... zo onvoorstelbaar is dat heus niet... dat wij in bed belanden, dan ben jij schuldig en ik niet. Want ik ben al schuldig.'

'Maar we gaan niet met elkaar naar bed! Zet het uit je hoofd! En stel, in het onvoorstelbare geval dat wij seks zouden hebben, dan nog is het *zina*. Fout. Mag niet.'

Julius googlet het woord direct.

'Oké... Zina: "Seksuele gemeenschap tussen een man en een vrouw die niet islamitisch getrouwd zijn. Er is na de *shirk* geen grotere zonde." Wat is shirk?'

'Dat je een andere God aanbidt dan Allah.'

'Shit. Maak ik me ook al schuldig aan. Waarom ga je eigenlijk met me om?'

'Omdat ik je, als medestudent, wel leuk vind. Maar seks tussen ons is uitgesloten, tenzij jij moslim wordt, je laat besnijden en mijn ouders dertig geiten cadeau doet...'

'Echt?'

'Grápje. Twintig.'

'Heb jij eigenlijk weleens iets gevoeld voor een niet-moslim?'

Fadila aarzelt.

'Ik heb mezelf één keer aan een Nederlandse jongen getoond. Ik heb mijn hoofddoek voor hem afgedaan.'

Julius is stil. Fadila slobbert thee.

'Ik lees hier de voorwaarden voor zina. De personen die zich eraan schuldig maken moeten moslim zijn. Bij volle verstand zijn. Getrouwd zijn. Volwassen zijn. En er moeten vier getuigen zijn die het strafbare feit moeten hebben gezien met hun eigen ogen. Dat is eigenlijk best een wijs gebod. Hoe vaak gaan mensen vreemd met vier getuigen erbij? Hier nog een mooie: wanneer een persoon een moslim beschuldigt van overspel en dit niet kan bewijzen door vier ooggetuigen, dan zal deze aanklager met tachtig zweepslagen worden bestraft! Wat een wijs boek, die Koran!'

Fadila kijkt hem aan en hij kijkt terug.

Dan verwijdert ze haar hoofddoek.

Julius slikt en kijkt. Fadila straalt.

'Ik... ik had niet gedacht dat ik je ooit zonder hoofddoek zou zien.'

'Waar denk je nu aan?'

'Wil je dat echt weten? Het zijn geen haramme gedachten.'

Fadila slaat haar ogen neer. Ze zwijgen.

'Hier... ik lees dat er zoiets is als "grote zina" en "kleine zina".'

'Ja, dat laatste is "het zina met de ogen". Als je je laat bekijken.'

'Laat je hals eens zien. Hoe zou je zina kunnen plegen als je niet eens in dezelfde ruimte bent? Ik ben niet bij jou. Er hangt een heel klein cameraatje voor je, dat met een draadje vastzit aan een kastje. Ik zie jou niet, ik zie een verzameling bits en pixels. Laat je hals eens zien. Ik ben niet bij jou in dezelfde ruimte. Er zijn geen getuigen.'

Fadila aarzelt en trekt dan, langzaam, haar blouse opzij. Kort ziet Julius haar hals. Liefde en passie in verwarrende tijden.

Van ontzag naar respect

De gemiddelde Italiaan is een astmatisch articulerende in een Ferrari rondscheurende hetero-homoseksuele supermacho in een maatpak, met een platina geblondeerde wandelende zak in botox gemarineerde borstvergrotingen aan zijn zijde. Dit even als bijdrage mijnerzijds aan de pueriele stemmingmakerij voor de EK-wedstrijd van vandaag, Nederland tegen Italië.

Het is een bekende anekdote, maar ik vertel hem graag. Als voorbereiding op een Europacupduel tegen AC Milan bezocht het gehele Feijenoord-elftal (toen nog met een aandoenlijk oninternationale ij) de stadsderby van AC tegen Inter Milan. Coach Happel ging bij die gelegenheid naast verdediger Piet Romeijn zitten, die later de Italiaanse linkerspits Pierino Prati zou moeten dekken. Iedere keer als Prati een mooie actie had, stootte de verder zwijgende Happel Piet Romeijn loeihard in zijn zij. Hierdoor getergd en opgefokt verklaarde de Feijenoorder na de wedstrijd dat 'die spaghettivreter' hem geen geintjes zou flikken. Wat ook niet gebeurde.

Vorige week hoorde ik op tv van volleybalcoach Joop Alberda nog een mooi staaltje psychologische oorlogsvoering. Als Nederlandse sportploegen in vroeger tijden voor de wedstrijd oog in oog stonden met Italiaanse teams waren zij op voorhand onder de indruk van hun maniertjes, hun kekke zonnebrillen, hun leren muiltjes, hun strakke pakken vooral. Dit probleem werd door Alberda getackeld door zijn Nederlandse sporters zelf ook in maatkostuums te steken. Strak afgesneden pijpen, bobbels in de broeken duidelijk zichtbaar. De tactiek: laat onze jongens zich gewoon net zo mieterig kleden. Pak die Italianen waar je ze pakken kunt. 'Wij gingen van ontzag naar respect,' lichtte Alberda toe. Goeie!

Naast de Italiaanse couture is er natuurlijk nog een facet van de Italiaanse cultuur waarvoor wij tomeloos ontzag voelen: de Italiaanse keuken. Je hoort als rechtgeaarde modebewuste metroman (type Hugo Borst of Wilfried de Jong) steevast te beweren dat er nergens op aarde zo goed wordt gekookt en gegeten. 'Dat krijgen die Azzurri met de pastalepel ingegoten...'

Ik weet dat ik nu doodverklaard ga worden door het merendeel van mijn culinaire vrienden en mijn vaste ijscofamilie, maar ik vind dat de waardering voor de Italiaanse keuken overschatte trekjes vertoont. Een paar jaar geleden mocht ik voor de promotie van een Italiaanse vertaling van een boek over een topkok op tournee door Noord-Italië. De Italiaanse keuken is er een van tradities: er zijn pak 'm beet veertig gerechten die iedere mamma en iedere kok kan bereiden, en die iedere consument naar waarde weet te schatten. Creativiteit en originaliteit vinden ze er minder belangrijk. Anders dan bij ons. Wij hebben geen canon van gerechten, maar durven in de keuken toch echt meer. Hoewel ik vaak geschamper hoor over onze gastronomie, vind ik oprecht dat er in de Nederlandse eredivisie gemiddeld beter wordt gekookt dan bij de sterren in de Serie A.

Vandaar een thuistip in de psychologische oorlogsvoering in de aanloop naar de wedstrijd: laat u niet intimideren... kook vanavond Italiaans! Van ontzag naar respect! We beginnen met een zuppa di melone e prosciutto, oftewel frisse Oranjesoep. Maak een grove puree van een zeer rijpe meloen met oranje vruchtvlees. Roer er het sap van één sinaasappel en één citroen doorheen, samen met vier grote, in reepjes gesneden plakken parmaham. Vervolgens bereiden we oranje pasta door bij een kook- of banketbakkerswinkel een flesje oranje kleurgel à € 2,95 te kopen, en pasta te koken in water met gel (afgieten, maar niet afspoelen). Sprenkel er een goede scheut niet al te goedkope olijfolie over. Maak ondertussen een saus van tweederde deel gekookte, ingedikte wortels en eenderde deel oranje paprika uit blik. Pak ze waar ze te pakken zijn, die spaghettivreters.

Zelfmedelijden

We zijn zaterdagmiddag aangekomen in het Noord-Normandische Cany-Barville, waar onze familie een vakantiehuisje heeft. In hun ondoorgrondelijke wijsheid hebben de autoriteiten de Utrechtse basisscholen in juni een extra week vrij gegeven. Hoera.

Het eerste wat ik zaterdagmiddag deed: het meegenomen tv-toestelletje aansluiten. 'Hándig... zonder antenne,' zei mijn vrouw, toen alle kanalen niets dan een lawaaierige lawine beeldprut gaven. Het was een anderhalf uur voordat in Zwitserland het EK begon. Vlug reed ik naar een winkel in elektronische apparatuur, in het centrumpje van Cany-Barville.

'Je cherche une eh...' begon ik, en toen kwam ik erachter dat ik niet wist wat ik zocht, in het Frans. 'Antenna,' stamelde ik, met een vreemde Italiaanse tongval. Een beetje autistisch zwaaide ik vervolgens met mijn armen, ik maakte een paar poep- en rochelgeluiden, en vijf minuten later rekende ik voor € 24,50 een ruimtevaartachtig apparaat af dat televisiesignalen kon versterken: de Saturna II, een *antenne d'intérieur électronique* (*gain élevé: 36dB*).

Toen ik de zaak verliet riep de verkoopster me na dat deze regio — waar het overigens altijd regent — geen analoog televisiebereik meer heeft. Televisie kijkt men hier met behulp van kabel of een *parabolique*. Ze bood aan mijn Saturna II weer terug te nemen, maar tegen beter weten in introduceerde ik een nieuw Frans woord: '*Non non non, c'est mon risico.*'

De wedstrijd van Zwitserland tegen Tsjechië was al een half uur bezig toen we compleet onverwachts zowaar een snipper beeld kregen. Dat was toen ik met twee verlengsnoeren mijn Saturna op de vliering had gestald. 'Voetbal!' riep mijn vrouw uit de huiskamer. Ik vloog naar beneden, maar daar aangekomen was de ontvangst alweer verdwenen. 'Je had ook moeten blijven staan,' riep mijn vrouw teleurgesteld.

Tijdens het begin van de wedstrijd Portugal–Turkije had ik — met het verbetene van een verslaafde — een stuk of twintig verschillende posities uitgeprobeerd, waarbij ik mijn kinderen had ingeschakeld om in de buurt van de antenne te blijven. Het gaf een vreemd nostalgisch gevoel: zo moeten onze voorouders zich hebben gevoeld in de beginjaren van de Hilversumsche Draadloze Omroep. En toen gebeurde er een klein wonder: de Britse zender ITV Sport kwam plotseling over het Kanaal gewaaid. In zwart-wit en zonder geluid zagen we een schokkerige flard van de wedstrijd. Een minuut of twee, want toen begon het weer te regenen en wilden mijn kinderen zelf voetballen, op hun Nintendo.

Plan b was de wereldontvanger. Je zou zeggen dat een evenement dat Zo Ontzettend Belangrijk is, integraal wordt uitgezonden door onze duurbetaalde Wereldomroep. Ik zette de radio aan en hoorde iemand het hebben over 'de selectie'. Bingo, dacht ik, maar het bleek te gaan om André Rouvoet die in een betoog van een half jaar het middeleeuwse standpunt van de ChristenUnie inzake embryoselectie mocht toelichten. Lekker belangrijk, als ieder moment Christiano Ronaldo kan scoren.

Zondag heb ik de antenne op iedere vierkante centimeter van ons terrein neergezet, maar het beeld was definitief verdwenen. Het begon te dagen: hoe moet dat nou, maandag, tegen de Italianen? Er welde een groot zelfmedelijden in mij op. Mijn vrouw zei opbeurend dat als Oranje zou worden ingemaakt, we daar ook geen getuige van hoefden te zijn. 'En wat nou als ze de wedstrijd van de eeuw spelen?' snauwde ik. Over een uur begint de wedstrijd. Met een vriend heb ik afgesproken dat hij me het verloop zal sms'en, en zo kunnen we hem toch een beetje volgen. Dat is als ik tenminste in de keuken ga staan, links naast de koelkast. Want daar heeft mijn telefoon bereik. Mits het niet regent. Wat het hier overigens altijd doet.

Stoïcijn

Tijdens voetbalkampioenschappen vind ik het jammer dat mijn vader er niet meer is. Anderhalf jaar geleden constateerden artsen dat mijn vader een botkanker had die niet meer viel te behandelen. Vijf weken later was hij overleden, in alle rust en zonder emotionele worstelingen. Mijn vader was een kalme man; het bericht van zijn naderende dood hoorde hij schouderophalend aan. Hij was drieënzeventig, had goed geleefd, was twee keer getrouwd (de tweede keer gelukkig), had een boom geplant, gestreden voor het algemeen nut, kinderen verwekt en zijn memoires geschreven. Voor iemand die dagelijks een pakje vieux rookte en vijf glazen zware shag dronk, heeft hij het nog lang uitgehouden. Stoïcijn in al zijn poriën; dat is hoe ik over mijn vader aan mijn kinderen vertel. Mijn vader was een groot voetballiefhebber. Ik denk dat ik een van de weinige kinderen ben geweest die een poster van zijn vader op zijn kamer had hangen (een promotieposter van een zeepmerk, met een in de Kuip genomen foto van Willem van Hanegem, waar je mijn vader, Feyenoorder, in een vak zag zitten). Een van zijn oudste herinneringen had mijn vader aan de oorlogstijd. Zijn eigen vader had gevoetbald bij het oude Dordtse D.F.C., een historische club waar mijn vader vaak op de tribune zat (zelf speelde hij bij het al even historische Emma, als linksbenige rechteraanvaller zonder scorend vermogen). In de oorlogsjaren werden in het D.F.C.-stadion provisorische wedstrijden georganiseerd. Bij een daarvan betrad plotseling een elftal gevangengenomen Italiaanse militairen het veld, zwaar bewaakt door hun voormalige Duitse soldatenbroeders. Die wedstrijd was een verzetje voor de Italianen. 'Dus je mag wel zeggen,' zei mijn vader, toen hij ons over deze wedstrijd vertelde, 'dat ik in de oorlog bij het verzet heb gezeten.' Mijn vader was niet uit zijn evenwicht te brengen. Slechts één keer heb ik hem zenuwachtig gezien, dat was toen het Nederlands elftal in 1974 tegen de Brazilianen moest spelen. 'Dat winnen ze nooit,' zei hij vooraf, een keer of tien. Die wedstrijd wonnen we in mijn herinnering vrij gemakkelijk, en na afloop was mijn vaders kalmte weer teruggekeerd. Het was zelfs alsof hij zich een beetje schaamde voor zijn gevoelsuitbarsting.

Ook langs het veld was hij, in tegenstelling tot de andere vaders, zwijg- en bedachtzaam. Ik voetbalde bij de — óók historische — Dordtse vereniging E.B.O.H. (Eendracht Brengt Ons Hoger), als rechtsbenige linkeraanvaller zonder scorend vermogen. Bij thuiswedstrijden stond mijn vader aan de zijlijn rokend te kijken hoe wij speelden volgens het toen onder kinderen erg populaire 1–10–0-systeem. Het grootste compliment dat ik in die jaren van hem kon krijgen was: 'Je hebt maar acht keer buitenspel gestaan.'

Mijn zoon voetbalt inmiddels bij het Utrechtse Sporting '70, als rechtsbenige middenvelder zonder scorend vermogen. Ook ik sta wekelijks aan de kant, maar ik heb moeite om, SIRE ten spijt, mijn gilles-de-la-tourette onder controle te houden. En in tegenstelling tot mijn vader laat ik me ook bij wedstrijden van Oranje nogal gaan. Als Nederland tegen Italië speelt en we met 1–, 2– en 3–0 voorkomen, loop ik — tot verbijstering van mijn kinderen — koprollend, schuimbekkend en oogadertjesspringend door de kamer.

Als mijn vader nog had geleefd zou ik hem zeker na ieder doelpunt hebben gebeld voor zijn vaderlijke mening. Was het nou buitenspel? Die Sneijder kan toch wel voetballen, hè? Van Bronckhorst, Feyenoorder! En na afloop van de wedstrijd zouden we uitgebreid onze eigen nabeschouwing hebben gemaakt. Zijn conclusie over eergisteren zou zijn: 'Ach, het was een leuk verzetje...'

Maurice

We voelen ons hier als Bril in Frankrijk. Dit is ons gebied, de driehoek tussen Fécamp, Cany-Barville en St. Valery-en-Caux. Het land glooit, maar niet overdreven, de velden zijn groen en beplant met vlas, aardappels, maïs, graan en koolzaad. De imposante krijtrotsen zijn van een louterende schoonheid. Noord-Normandië is Frankrijk op zijn rustigst. Een streek zonder toeristische aanstellerij en gespeend van potsierlijke grandeur, maar met een mooie culinaire traditie. En het ligt op vijf uur rijden van Nederland, in het geval de heimwee toeslaat. Alleen al het lezen van de naambordjes van de plaatsjes in de omgeving is voor mijn kinderen een bron van vakantiepret. Cany-Barville wordt 'kannie bar veel', Conteville Kontdorp, Malleville stadje voor gekken, Sotteville Zottendorp, Bolleville plaats voor bollies.

Gistermorgen ben ik naar onze oude camping gereden, op tien minuten van ons huidige vakantiehuis, zogenaamd om brood te halen in de campingwinkel. De camping heet Les 3 Plages, wat een misleidende naam is, want voor het dichtstbijzijnde keistrandje — bij het plaatsje Les Grandes Dalles — moet je vijfentwintig minuten lopen. Les 3 Plages ligt in het oeroude Gallische dorpje Sassetot-le-Mauconduit. Ik heb mij eens door een Nederlandse campinggast laten wijsmaken dat Sassetot-le-Mauconduit slaat op een of andere 'misdragende Saks' over wie niets meer bekend is dan dat het dorp naar hem is vernoemd. Er zijn in de buurt van Fécamp veel plaatsen die het achtervoegsel le Mauconduit dragen. Blijkbaar is het ooit een erg opstandig gebied geweest. Of die gast heeft me iets op de mouw gespeld en le Mauconduit betekent helemaal niet 'de slecht gemanierde'. Volgens mijn reiswoordenboek kan *conduit* ook rookkanaal, luchtweg, toevoerpijp of zelfs urinebuis betekenen. Hebben we wellicht jarenlang gekampeerd in een plaats genaamd De Astmatische Saks. De Verstopte Saks. De Incontinente Saks.

Mijn vrouw komt al sinds haar jonge jeugd in Les 3 Plages en ze heeft de hele ontwikkeling meegemaakt van ruig trekkersveld tot rustige familiecamping. Gisteren maakte het terrein nog een lege indruk. Ik kwam aanrijden op een plek waar ik alles bij elkaar een half jaar van mijn leven heb doorgebracht (ik kom er sinds 1996). Ik werd verwelkomd door Marie, de vriendin van Maurice, eigenaar van Les 3 Plages. Vaak heb ik met Marie en Maurice gepraat; zij in een Frans dat ik niet verstond, ik in een Frans dat zij niet begrepen.

Vroeger werd de camping geleid door Maurice' moeder, een krijtrots van een vrouw, die bijna geen tanden had en net zoveel haren. Maurice' moeder leek altijd woedend: op vakantiegangers, op Maurice. Zuchtend schreef ze campinggasten in, zuchtend verkocht ze spulletjes uit de winkel en altijd stond Maurice naast haar, als een *petit con de l'eau des roses*. Het jaar dat ze overleed liep Maurice doelloos over het terrein, voortdurend met tranen in zijn ogen.

Hoewel Les 3 Plages altijd veel vakantiegasten trok, ontwikkelde Maurice metterjaren een ongelukkige hand van ondernemen. Hij legde eigenhandig een midgetgolfbaan aan, met veel te scherpe hoeken en onmogelijke trajecten (de baan werd nooit gebruikt). Hij begon een snackservice, bouwde een keuken, kocht een heuse koksbroek, maar kwam er snel achter dat hij eigenlijk niet kon koken (niemand bestelde ooit iets bij hem). En steeds werd zijn blik treuriger. De laatste jaren werd het rustiger op de camping, de drukte van weleer leek voorbij. Vorig jaar stonden er op hoogtijdagen maar een paar tenten van trekkers. Ik voelde me een verrader, want ook wij hadden ons heil elders gezocht.

'*Où est Maurice?*' vroeg ik gisteren aan Marie. Ze keek me zuchtend aan en gaf een antwoord dat ik niet verstond.

Het Oranjeorganisme

Friedrich Nietzsche schreef: 'Gekte is bij individuen de uitzondering, maar bij groepen de regel.' De afgelopen dagen is deze opvatting weer heerlijk bevestigd. Gisteren sprak ik een vriend die daags na de EK-wedstrijd tegen de Italianen per ongeluk verzeild was geraakt in de Utrechtse volkswijk Ondiep. Oranje straten, slingers, vlaggen, borden, kleren, gebakjes, smeerkaas, smarties, deurmatten, brood, mayonaise, condooms. 'Hoever strekt de waanzin?' vroeg mijn vriend zich af. Er is veel over het gedrag van groepen geschreven. De misantroop Gustave Le Bon publiceerde in 1895 een klassiek geworden polemisch boek genaamd *Psychologie van de massa*, waarin hij verbijsterd vaststelde hoe de westerse wereld in de negentiende eeuw democratisch was geworden. Hoe was het 'de gewone man' in hemelsnaam gelukt om politieke en culturele macht te verwerven, vroeg hij zich af. Volgens Le Bon was een menigte veel minder dan de optelsom van de afzonderlijke leden. Een massa was in zijn opvatting een zelfstandig organisme dat maar al te vaak handelde op een manier die niemand in die massa had bedoeld. Een menigte gedraagt zich altijd dwaas en 'kan nooit handelingen uitvoeren die een hoge mate van intelligentie vereisen', vond Le Bon. Een Fransman, overigens.

Ik heb het idee dat het EK hier in Frankrijk een stuk minder leeft. Niet dat ik veel tijd doorbreng in Franse Ondiepen, maar in de straten waar we wel komen zien we opvallend weinig tekenen dat het land meedoet aan een groot voetbaltoernooi.

Ik ben niet het type om op straat willekeurige voorbijgangers aan te spreken met de vraag *si le football ici un petit peu vive*, maar op terrassen en in supermarkten merken we niets van de verrichtingen van *les Bleus*. Geen blauwe straten, geen blauwe deurmatten, geen blauwe mayonaise, geen zelfstandig opererend blauw organisme.

Voor het allereerste nummer van *Hard Gras* mocht ik ooit met Oranjesupporters mee naar het WK 1994 in Amerika. Er reisden ook veel bedrijven af met het voltallige personeel. Het viel me destijds op dat je aan iemands uitdossing zijn rang in het bedrijf kon zien: hoe belangrijker iemand was, hoe minder oranje hij oogde. Administratiemedewerkers konden het maken om er als oranje debiele appeltjes bij te lopen, maar directeuren droegen slechts een subtiel oranje strikje. Zou dit in het groot ook gelden voor landen? Hoe groter en belangrijker een natie, hoe minder de drang om met de eigen kleuren te koop te lopen?

Toen wij afgelopen zaterdag naar Frankrijk vertrokken was de algemene mening dat Oranje er al in de eerste speelronde genadeloos uit gedonderd zou worden. Ik neem aan dat het in Nederland inmiddels niet de vraag is óf we de finale winnen, maar met hoeveel doelpunten verschil. Frankrijk werd door de thuisanalisten in mijn omgeving als de relatief zwakste tegenstander gezien. Frankrijk is niet meer het Frankrijk van een paar jaar geleden, hoorde ik voortdurend.

Deze mening wordt, voor zover mijn Frans me niet in de steek laat, gedeeld door de Franse media. Ik moet het hier in Noord-Normandië doen zonder Nederlandse kranten en internet, en daarom spel ik met behulp van mijn reiswoordenboek alle Franse kranten die ik te pakken krijg. 'Frankrijk zal moeten imponeren tegen de Nederlanders,' schrijft *France-Soir*. 'De druk ligt op Frankrijk,' aldus *Le Figaro*. 'De Nederlanders zijn niet arrogant, ze zijn simpelweg erg sterk,' vindt *Le Monde*. De *buts* van Sneijder en Van Bronckhorst noemt de krant *splendide*, waarna het artikel eindigt met de opvallend vriendelijke wens: '*Et l'on souhaite bien du plaisir aux Bleus.*' Mag ik op deze plek de Fransen, namens het zelfstandige Oranjeorganisme, dat plezier ook wensen?

Jonge-jongensbeloften

Wer früher stirbt, ist länger tot. Dit is de bijzondere titel van
een bijzondere Duitse tragikomedie over de elfjarige Sebastian, wiens moeder is overleden bij zijn geboorte (hij denkt dat
haar dood zijn schuld is en droomt dat hij op twee manieren
aan zijn hemelse straf kan ontkomen: door rockster te worden
of een nieuwe vrouw voor zijn vader te vinden). Zo'n titel
blijft hangen. Wie vroeg sterft, is langer dood.
De helft van de Nederlanders is jonger dan tweeëndertig
jaar. Ik hoor al tien jaar tot de andere helft, en zo leuk is dat
helemaal niet, want zo langzamerhand is het sterven in mijn
vrienden- en kennissenkring goed op gang gekomen. Vroeger
was er bijna nooit iemand ziek en gestorven werd er nauwelijks. Dat deed je niet, daar had je geen tijd voor en al helemaal geen zin in. In mijn geval deed de dood pas laat intrede
in mijn leven. Eerst gingen er een paar huisdieren, toen mijn
opa's en oma's, toen een klasgenoot, toen een medestudent,
en ongemerkt kwam de zeis steeds dichterbij. Inmiddels zijn
mijn beide ouders vertrokken, een oude buurjongen, een serveerster (met de trein, waar ze voor sprong), een goede kennis, een vriend — en bijna wekelijks krijgen we ontijberichten
over ziekten, knobbels en slechte prognoses.
'En het gaat alleen maar erger worden,' zei een oudere
vriend, toen we de ziekte van iemand uit onze omgeving be-
spraken. Vroeger zong Huub van der Lubbe van De Dijk: 'Iedereen gaat maar dood. En de rest drinkt bier in het café.' Ik
heb deze regels vaak meegezongen, hoewel de woorden nu pas

een beetje tot me door beginnen te dringen. 'En Nel is dood. En mamma. En Chrisje.'

Ik herinner me een nacht in 1984. Met een paar gezworen vrienden lag ik op een grasveldje bij het rijtjeshuis van een van ons in Baarn. Het ochtendlicht daagde in het oosten. De ouders van twee van ons waren op vakantie, en in de huiskamer bij die jongens hadden we muziek gedraaid tot de buren voor de vijfde keer kwamen klagen. Er waren meisjes geweest, met wie niets was gebeurd – tenminste niet in mijn geval – en toen die waren vertrokken bleven wij achter. We waren dronken van een luguber bocht genaamd bessenjenever. Liggend in het gras klonken we op de vriendschap en deden we elkaar plechtige beloften over de toekomst. Jonge-jongensbeloften, vol van verwachting over de jubeljaren die voor ons lagen. We zouden voor altijd muziek maken, striptekenen, schrijven en liefhebben, voor minder deden we het niet. Een van die jongens is, alweer acht jaar geleden, volslagen onverwachts geveld door een hartstilstand. 'Wie vroeg sterft, is langer dood' betekent volgens mij dat de mensen die het eerst gaan, het langst worden herinnerd.

Vanmiddag wordt de schrijver Adriaan Jaeggi begraven en daarna wordt het glas geheven op zijn nagedachtenis. Aardige jongen. Goed gevoel voor humor. Generatiegenoot. Speelde ooit trombone in de jazzband van de vader van een van de jongens met wie ik in het Baarnse gras lag. Later zat ik als gastredacteur met hem in de redactie van *Propria Cures*, dronken we als Jong-Turken bier in het café, vol van beloften. Een passage uit een van Adriaans gedichten:

Dit heb ik geprobeerd te zijn:
de stappen die je hoort op een lenteavond
het passeren van stevige zolen op vertrouwde steen
eventueel een flard van Au Privave
of een gefloten partita.

De glimlach van mijn zoon

Ik ben geen dagboekschrijver en ook maak ik doorgaans nauwelijks aantekeningen van de dagelijkse waanzinnigheden. Er is één fase in mijn leven geweest waarin ik wel nauwgezet noteerde wat ik meemaakte, niet voor mezelf, maar voor mijn pasgeboren zieke zoon. Anderhalf jaar geleden zat ik in mijn zoons hoekje op de intensive care, met mijn laptop op schoot. Een van mijn aantekeningen luidde: 'Hij glimlacht in zijn slaap.' Hoe simpel deze vijf woorden, toch waren ze verbijsterend. Op de intensive care heerste een vreemde rust, die af en toe werd verstoord door een toeter of een belletje. Met ingehouden adem keek ik naar het tevreden trekje van mijn zoons mondhoeken. Dat het mogelijk was om in zijn situatie nog te glimlachen deed me slikken en tranen wegknijpen. Hij lag welgeteld aan vijftien snoeren, lijnen, draden en slangen. Hij had hartslagplakkers op zijn borst, er zat een voedingssonde in zijn ene neusgat en een beademingstube in zijn andere, hij kreeg infusen op vier plaatsen in zijn lichaam, zijn bloeddruk werd gemeten, hij had een bloedaftappunt uit een vat in zijn lies, er plakte een lampje aan zijn grote teen, zijn pies verdween via een slangetje naar een plastic opvangzak en in zijn kont zat permanent een thermometer — en tóch lag hij te glimlachen. 'Het zal de morfine zijn,' zei de zuster. 'Vandaar ook zijn trillende onderlipje,' legde ze uit. Dat was de onderlip van iemand die high is van een shot verdovend middel. Zes weken was hij nog maar, en nu al aan de drugs.

Tot twee keer toe kreeg hij een grote buikoperatie. Velen zeiden in die dagen dat het moeilijk is om 'gradaties in leed' aan te brengen, maar ik had daar geen moeite mee. Al het leed in mijn leven kon niet op tegen de aanblik van dat weerloze zakje mens op dat bedje in de ic. Bij zijn tweede operatie verbleef hij ruim zeven uur op de OK, uren waarin mijn vrouw en ik wachtten in de ouderkamer, mijn vrouw met tijdschriften op schoot (die ze niet las) en ik met een schrijfblok, waarin ik vele aantekeningen maakte. Dit is zoals gezegd niet hoe ik gewoonlijk werk. In het dagelijks leven noteer ik soms een inval, maar niet omdat ik de gedachte anders zou vergeten. Ik heb mijn opschrijfboekjes niet nodig, maar zoals een voetballer voor een wedstrijd soms een balletje hooghoudt, maakt een schrijver notities (in de wetenschap dat het echte schrijven zich voltrekt aan een bureau, in alleengelatenheid).

Wachtend in die ouderkamer schreef ik voor mijn zoon. Als ik niet opschreef wat er gebeurde en hoe het hem verging, dan zou van zijn geboorte en verblijf in het ziekenhuis later niet meer overblijven dan wat foto's, een paar anekdotes en wat littekens hier en daar. Wat mij het meest verbaasde aan dat bundeltje weerbarstige tumorcellen in zijn alvleesklier was hoe snel alles ontzettend onbelangrijk was geworden (boeken, recensies, het gedrag van anderen), op één ding na: de liefde voor hem en voor elkaar. Daar hadden we geen ziek kind voor nodig, maar het gebeurde toch. Zes weken oud was hij nog maar, en hij had zijn ouders nóg dichter bij elkaar gebracht.

En nu — anderhalf jaar later — kunnen we zonder terughoudendheid vaststellen dat het erg goed met hem gaat. Het enige wat hij aan zijn operaties heeft overgehouden, ik noteer het toch maar: hij glimlacht nog steeds in zijn slaap.

Bier en tieten

We reden van het weekend in België over de radiogrens. Dat is een vast punt op de snelweg waar automobilisten binnen het bereik van de Nederlandse ether komen. Het gesprek dat we ontvingen ging over — hoe kon het ook anders? — de verrichtingen van het Nederlands elftal. Of eigenlijk de verrichting van het Nederlandse tachtigduizendtal in Bern, voor en na afloop van onze glorieuze Italiaans-Franse veldtocht. Op de achterbank zaten mijn kinderen. We luisterden naar een verslag over 'De Oranjecamping', zo te horen een luguber dantesk inferno in de bergen. Geen kinderachtiger volk dan groepen volwassen voetbalfans. Tussen de voorspelbare stroom monosyllabische laagschedeligheid zat ook de stem van een nog redelijk beschaafd sprekende mevrouw. 'Waarom bent u hier?' vroeg de interviewer. Er volgde wat neuraalbeperkt gelal van omstanders en toen antwoordde de vrouw, met een (neem ik aan) Brabantse tongval: 'Voor bier en tieten...' waarna de groep achter haar begon te scanderen: 'Bier-en-tie-ten! Bier-en-tieten!' De vrouw juichte monter mee.

Mijn vrouw en ik keken elkaar aan. Hoorden we nou een zweem van verontrusting, ja zelfs paniek in de ontwapenend bedoelde uitroep van de Brabantse? Als gezegd: mijn kinderen luisterden mee. Ze zijn acht en tien, en nog vol verwondering over de wereld. Ze willen dingen weten als: Waarom is de hemel blauw? Hoe weet je hart dat het moet kloppen? Waarom groeien nagels wel en tanden niet? Waarom praat jij tegen de tv?

'Waarom zegt die mevrouw "bier en tieten"?' vroeg mijn dochter. Ik denk dat het makkelijker is om uit te leggen waarom de hemel blauw is. Er drong zich een ongepaste vergelijking op van Joden die in de jaren voor de Tweede Wereldoorlog — uit lijfsbehoud — lid werden van de NSB, maar deze gedachte deelde ik niet met mijn kinderen, want gesprekken over Anne Frank en andere ondoorgrondelijke oorlogsgeschiedenissen voeren we al genoeg. 'Ze doet gewoon een beetje gezellig mee,' praatte mijn vrouw er luchtig overheen. Ik voelde dat mijn kinderen hun wenkbrauwen fronsten en dachten: hmm... aan deze constellatie van waarden en handelswijzen, dit paradigma van vrouwdenigrerende volksverdomming, wensen jullie je dus als opvoeders te encanailleren?

Cruijffiaans avant la lettre schreef de dichter J.C. Bloem in zijn *Aforismen* (1952): 'Men kan in theorie tegenstander van iets, maar in de praktijk eigenlijk van niets voorstander zijn. De medestanders bederven alles.'

Ik wil niet zeggen dat de debiliserende Oranjemeute alles van het EK-plezier verpest, maar opgaan in bier en tieten is voor mij onmogelijk. Gistermiddag heb ik, als voorbereiding op de laatste groepswedstrijd, met verbazing, fascinatie en afkeer op geenstijl.nl gekeken naar de hilarische filmpjes van Rutger, de Nationale Knuffelhufter. Als een participerend sociologisch veldwerker doet Rutger verslag van de gedragingen van brallende, zichzelf bevlekkende landgenoten. Een oprechte misantroop kan van deze beelden niets anders krijgen dan een doorleefd gevoel van zelfhaatbevestiging. Wat een schaamteloosheid. Wat een droefenis. Wat een onbeschaafd rotvolk. Héérlijk.

Dieptepunten van Rutgers Oranje-*Werdegang* zijn de momenten dat zijn cameraman de lens richt op groepen dronken reuzewelpies die ergens een vrouw ontwaren. Jongens, een vrouw! We zagen op zo'n Oranjecamping een menigte van een amoebe of duizend om een blonde zangeres staan. Op de maat van 'Hij is een hondelul!' brulden de kerels als één man hun nieuwe strijdkreet: 'Daar... moet... een... piemel in! Daar moet een piemel in!' De stuitende hilarische lulligheid van het woord 'piemel'. We zagen de vrouw van haar podiumpje rennen, de menigte opgegeilde groepsverkrachters achterlatend met hun oerdriften. Na tweeënhalfduizend jaar beschaving, en drie, wat?, víér feministische golven zijn vrouwen dankzij het voetbal godzijdank eindelijk weer teruggebracht tot de essentie. Daar moet een piemel in.

Verlangen naar herhaling

Bij het schrijven van mijn stukje voor *de Volkskrant* gisteren schoot me een citaat van Milan Kundera te binnen: 'Met metaforen kun je beter niet spelen. Liefde kan geboren worden uit één metafoor.' Deze zinnen hingen vroeger op een briefje boven mijn werktafel. Het is een fragment uit *De ondraaglijke lichtheid van het bestaan*, in mijn herinnering waren het zelfs de eerste zinnen van het boek. Dat bleek niet te kloppen. De eerste zin luidt: 'De idee van de eeuwige terugkeer der dingen is raadselachtig en Nietzsche heeft er andere filosofen mee in verlegenheid gebracht: te denken dat alles zich eens zou herhalen zoals we het al hebben beleefd, en dat ook die herhaling eindeloos zou doorgaan!' Ik begrijp waarom ik deze zin niet heb onthouden. Bladerend door mijn bezoedelde exemplaar van de roman vond ik mijn citaatje verderop, als laatste stukje van hoofdstuk vier. Tomas, de hoofdpersoon, ziet bij het meisje Tereza — in de verfilming gespeeld door Juliette Binoche — voortdurend een kindje dat iemand in een biezen mandje heeft gelegd en op een rivier heeft laten wegdrijven. Dit beeld roept liefde in hem wakker, liefde die hij voor zijn vele andere vrouwen niet voelt.

Destijds was DOLVHB voor mij een verpletterend boek. Ik had vrolijke studentenaffaires met vrolijke studentenmeisjes, en ontdekte dankzij Kundera dat er achter liefde en seksualiteit ook een peilloze diepte schuil kon gaan. Tomas bedreef in het boek de liefde met veel vrouwen, maar zodra de lust was bevredigd verdween zijn begeerte. Eén keer was voor hem genoeg. Zijn verlangen naar Tereza was daarentegen oneindig en onbevredigbaar, wat Tereza deed verzuchten: 'Liefde is het verlangen naar herhaling.'

Voordat ik gisteren mijn exemplaar van DOLVHB terug in de kast wilde zetten, sloeg ik het titelblad open. Vroeger had ik de gewoonte om mijn naam in boeken te zetten, samen met de datum en de plaats van aankoop. Ik bleek de roman van Kundera te hebben gekocht op... 21 juni 1988 bij Bijleveld. Hoewel ik het zeker wist googlede ik toch die datum. Ik vond 19.700 resultaten, het merendeel over één gebeurtenis. Het was namelijk op 21 juni 1988 dat het Nederlands elftal in het Volksparkstadion in Hamburg de halve finale won van West-Duitsland. Plotseling zag ik voor me hoe mijn leven er op die dag moet hebben uitgezien. Utrecht was nog een erg benepen provinciestad, niemand had een personal computer, laat staan een autotelefoon, en alle studenten die ik kende oogden als Adam Curry of Patricia Paay (die ook weer op elkaar leken). Zelf zag ik eruit als een jaar of drie, alsof iemand mij net uit een biezen mandje had geplukt. Ik volgde colleges en las boeken, en hoewel ik mijn leven destijds als zeer gecompliceerd zag, was het in feite een veelvoud van eenvoud.

Nietzsche mag 'de idee van de eeuwige terugkeer der dingen' hebben verwoord, veel eerder schreef Prediker al dat alles wat er gebeurt opnieuw zal gebeuren. Om mij heen, in kranten en op televisie gaat iedereen ervan uit dat het Nederlands elftal, net als twintig jaar geleden, zeker Europees Kampioen zal worden. Voor de vorm zeggen mensen er nog bij dat iedere wedstrijd een finale is. Dat we op 29 juni weer die beker in handen houden staat echter vast. Ik voel me een beetje een landverrader, want ik merk aan mezelf dat dit me eigenlijk behoorlijk koud laat. Alles zal opnieuw gebeuren, maar ik verwacht niet dat ik de enorme explosie van woedende vreugde die ik de avond van de 21ste juni 1988 voelde, ooit nog zal hebben. Ik ben zo bang dat één keer genoeg is.

Verslagenheid

Ik waarschuw van tevoren: dit stukje gaat over te vroeg geboren baby's en ander leed. Mijn zoon — niet te vroeg maar te dik geboren — lag op de intensive care van een kinderziekenhuis, tussen lotgenootjes. Kindertjes met bulten, kindertjes die dingen misten, kindertjes die dingen te veel hadden, kindertjes met onuitspreekbare syndromen, kindertjes die zwaar in de verdrukking hadden gezeten.

In het midden van de ruimte stond de wachtpost, van waaruit verpleegkundigen en artsen de patiëntjes in de gaten konden houden. De baby's — sommige pasten in een mannenhand — waren verbonden aan vele lijnen en snoeren, die op hun beurt waren verbonden aan ingewikkelde apparaten en computers. Wat me opviel op de ic: de veelkleurige klanken. Het geluid van een zaal met couveuses en babybedjes klinkt als een concert van bliepjes en belletjes, regelmatig doorsneden met babygehuil, gemurmel, gekir, gepruttel, geboer. Een serene drukte. Niet ieder toetertje was een alarmbel. Vaak liet een pomp of een infuus om de zoveel tijd een scheetje om te laten horen dat het ding nog functioneerde. Ik moest hier als beginnende ic-ouder de eerste dagen aan wennen, want het was mijn natuurlijke reactie om bij ieder pingeltje van willekeurig welke hartslagmeter direct de defibrillatorkar voor te rijden.

Om privacyredenen werden de ouders van de kindjes gevraagd zich alleen met hun eigen baby bezig te houden, maar in de praktijk zochten veel ouders steun bij elkaar. Dit gebeurde zonder al te veel woorden. Een glimlach, een gedeelde zucht, een extra kop koffie op de dag van een hersenoperatie.

Soms werden de ouders verzocht om de afdeling te verlaten. Dit was als er een kindje was overleden en de familie afscheid kwam nemen. Af en toe werd er dan aan het bed van zo'n verdronken poesje een religieuze dienst gehouden. Ik ben niet van de gelovigen, maar dit zijn de weinige momenten dat ik godsdienst begrijp.

Op een gegeven moment kwam mijn zoontje terug van een ingewikkelde buikoperatie. Twee babybedjes verderop was een meisje bezig aan haar laatste uurtje. Er was een pastor of een predikant onderweg om het kindje de laatste sacramenten toe te dienen (dit had er meen ik mee te maken dat het lichaampje anders niet op een gewijde begraafplaats kon worden begraven). Alle ouders werd verzocht de zaal te verlaten, maar omdat mijn baby net onder het mes was geweest mocht ik blijven, mits ik de gordijnen van zijn hokje zou sluiten.

Terwijl ik naast het bed van mijn zoon wat probeerde te lezen — ik heb acht weken lang over één boek gedaan waarvan ik me de titel al niet meer kan herinneren — hoorde ik de ouders, familieleden en geestelijk verzorger binnenschuifelen. Aan hun voetstappen was hun verdriet te horen.

Ik stond in dubio. Mijn beroep veronderstelt een zekere curiositeit, en onder normale omstandigheden deins ik er niet voor terug om eens een onbekende la open te trekken of in een restaurant een gesprek af te luisteren. Ik zou mijn beroep verloochenen als ik dat niet zou doen. Nu geef ik toe dat het onbetamelijk was, maar ook in dit geval won mijn nieuwsgierigheid het van het decorum. Voorzichtig schoof ik het gordijn van het hokje van mijn zoon opzij om naar het toedienen van het heilig oliesel bij de stervende baby te kijken.

Ik wou dat ik dat niet had gedaan. De ziekenhuispriester verstond zijn vak, hij was inlevend en vol van warm mededogen. Ik was het meest ontdaan van de blik in de ogen van de ouders van het kleintje. Dat was er een van een ontroostbare verslagenheid.

Feest!

Tijdens de kwartfinale van Nederland tegen Rusland zaterdagavond verdween mijn zoon langdurig naar de wc. 'Als ik op de pot zit, scoort het Nederlands elftal,' zei hij behulpzaam. Een tienjarige die de loop der dingen denkt te beïnvloeden vanaf een wc-bril in Utrecht. Een onrealistische kijk op de eigen invloed is volgens psychologen een teken van geestelijke gezondheid. Hoe realistischer iemand zijn eigen greep op de wereld ziet, hoe groter de kans op depressies.

Inmiddels is het de morgen na de vernedering. In vroeger tijden zou ik zuchtend van teleurstelling in bed zijn blijven liggen, nu zit ik schouderophalend op de bank, met een verbeten 'ik neem dit voor kennisgeving aan'-blik. Cognitieve dissonantie in de praktijk. Het is maar een spelletje. De Russen waren veel beter. We zaten in een heel zwakke poule. Ik gun het Guus Hiddink ook heel erg, die aangespoelde waterbuffel.

Ook het gebruik van termen als 'cognitieve dissonantie' is vluchtgedrag. Plotseling voel ik de behoefte om zoiets simpels als een verloren voetbalpot te duiden met wetenschappelijk geëpibreer. De afgelopen dagen heb ik gelezen dat bioloog Desmond Morris voetbal een substituut voor oorlog noemde. In vroeger tijden sneden naburige stammen elkaar op hobbelige knollenveldjes de strot door, tegenwoordig organiseren we een EK. Het is dus eigenlijk goed en beschaafd dat we ons door die Russen lieten vernederen. Daarmee hebben we een stammenoorlog voorkomen. Gelukkig maar, want die hadden we natuurlijk helemaal nooit gewonnen, met ons kernwapen-arsenaal.

Afgelopen vrijdag stond in *de Volkskrant* ook de verplette-rende wetenschappelijke onthulling dat Oranjegekte 'ritueel gedrag' is. Volgens een Duitse docent rituele studies aan de Radboud Universiteit in Nijmegen vervult voetbalkoorts een vitale functie. 'Feest is een belangrijke categorie in rituele studies, omdat we ons bij een feest even anders mogen gedra-gen dan op alle andere dagen,' aldus de man. Gefeest hebben we. Zaterdagavond konden we het voetbal overal in wijken en cafés zien op grote schermen, we konden naar Basel (naar een nog veel groter scherm) of we mochten de wedstrijd volgen in het stadion. In dat laatste geval waren we uitgenodigd door een zakenrelatie of bevriende sponsor, want voor gewone stamleden was er geen kaartje te vinden. Op de radio hoorde ik een reportage over deze sponsorreizen: veel bedrijven boden hun relaties een geheel verzorgde trip naar de kwartfinale aan. Grappig om te zien hoe iedereen elkaar tijdens zo'n toernooi probeert af te troeven. Wij hebben het grootste scherm. Wij hebben de Oranjeste straat. Wij zien er het mensonterendst uit. Wij hebben Frits Barend voor de analyse. Bij ons zit Máxi-ma op de tribune. Wij toeteren het hardst na afloop.

Het heeft allemaal met status te maken. De biologie leert dat veel primaatsoorten een sociaal systeem hebben waarin 'posities binnen de groep' een overheersende rol spelen. Ook mensen en hun voorouders zijn al een jaartje of dertig mil-joen geobsedeerd door de sociale ladder. Antropologen zien 'feesten' als een belangrijk middel voor mensen om status te verwerven. Wie een goed feestje geeft, komt hoger in aanzien (iedereen met kinderen weet dat dit klopt). Er is zelfs een theorie die feesten als de drijvende kracht achter onze men-selijke ontwikkeling ziet: als tienduizend jaar geleden een stam de buren uitnodigde voor een feestmaal, konden die bu-ren niet achterblijven. Volgens antropologen zijn niet alleen voetbalwedstrijden, maar ook feestgelagen een geritualiseerd substituut voor oorlog. Een oorlogsfeest dat we zaterdag dus verloren hebben.

'Kenmerkend voor ritueel gedrag is dat het zich uit in dingen die op het eerste gezicht zinloos lijken, maar die emoties kanaliseren,' legde de docent rituele studies ook nog uit. De emoties die horen bij verliezen bijvoorbeeld. Of de schaamte over het zelfverlies. Wat hebben we ons weer *lächerlich* gemaakt.

African handshake

Afgelopen vrijdag zat ik tijdens een etentje naast een vrouw wier zus haar woonplaats in Zimbabwe heeft moeten verlaten vanwege de bedreigingen en moordpartijen. Zondag zei de Zimbabwaanse oppositieleider Morgan Tsvangirai dat het land geplaagd werd door 'een orgie van geweld', waarna hij zich terugtrok uit de presidentsverkiezingen. Gisteren zagen we op tv lugubere beelden van opgejaagde sympathisanten van Tsvangirais oppositiepartij: honderd zijn er al vermoord, duizenden gewond geraakt, honderdduizenden uit hun huizen verdreven.

Twaalf jaar geleden was ik in Zimbabwe voor een vrolijke reportage. Vanuit het Victoria Falls Station zou een chique vooroorlogse stoomtrein vertrekken richting Botswana en Zuid-Afrika, voor een luxueuze reis inclusief copieuze vijfgangendiners. Het blad *Rails* had twee ondervoede freelancers ingevlogen om hiervan verslag te doen. Zimbabwe was politiek gezien geen gidsland, maar openlijk geweld was destijds niet aan de orde. Met smokings en gestijfde overhemden in onze bagage sliepen fotograaf Alex ten Napel en ik drie nachten in het Victoria Falls Hotel, volgens *Forbes* de meest decadente plek ter wereld. Het hotel opende in 1904 en er sliepen sindsdien vele koningen, staatshoofden en beroemdheden. Uniek was het privé-uitkijkje over de Victoria-waterval, imposantere natuur is niet te vinden. Het hotel zelf was van een stuitende rijkdom. Het kolonialistische verleden leefde er schaamteloos voort: zittend op het wereldvreemde achterterras konden de uitsluitend blanke gasten genieten van de waterval in de rivier de Zambesi, terwijl ze werden bediend door tientallen onberispelijk geklede zwarte jongens. Ter illustratie: een van de knullen had als dagtaak om de ijsblokjes in de glazen van de gasten te verversen. Zo'n hotel.

Tot een half uur geleden was ik in de veronderstelling dat de Zimbabwaanse geweldsgolf ook van invloed is geweest op de bedrijfsvoering van deze uitspanning, en... dat is hij inderdaad. Op de internetsite van het hotel zag ik dat het management onlangs heeft besloten om een beetje losser om te gaan met sommige *aspects of the long-standing dress code*. Concreet: *formal clothes* zijn op bepaalde tijden niet meer *mandatory*. Voor de rest is het kolonialisme *as usual*. Zo'n hotel dus.

Terwijl Alex en ik twaalf jaar geleden loom nipten aan een gin-tonic, nasuizend van het bezoek aan de *falls*, kregen wij toch het gevoel dat het ware Zimbabwe aan ons voorbijging. En dus papte Alex aan met een van de chauffeurs van het hotel, Edward, een man die omgerekend vijf dollar per dag verdiende, nog niet de prijs van een martini. Edward nam ons mee naar zijn township, Chinotimba, dat eruitzag zoals ik me townships had voorgesteld: vervallen bouwsels, hobbelige straten, uitgemergelde honden, vervuilde kinderen. Een stuitende armoe, kortom. We bezochten een zogenaamde *beer garden*, een groot plein waar bier per emmer werd verkocht aan honderden mannen. De drab was troebel en lobbig, en Edward legde uit dat het was verrijkt met voedingsstoffen. Dat spaarde voor veel Zimbabwanen weer een maaltijd uit.

Wat mij is bijgebleven: hoe aardig iedereen was. Slenterend over het pleintje van Chinotimba werden Alex en ik voortdurend aangesproken en toegelachen. Van Edward mochten we vanwege onze tere magen niet meedrinken met het troebele bier, maar in plaats daarvan kregen we allebei een flesje priklimonade met een roestige dop. En zo zaten we tussen de Zimbabwanen. Iedereen lachte, iedereen zwaaide, iedereen gaf ons een *African handshake*. Dat is een handdruk terwijl je '*God*' zegt, een duimgreep terwijl je '*bless*' zegt, weer een handdruk met '*Africa*'. Een orgie van aardigheid, zo voelde het.

Toch

Bij een lezing in Apeldoorn kreeg ik afgelopen zondag van een rechter in ruste de vraag of je als schrijver zomaar mag putten uit het leven van passanten. 'Wat nu als die mensen het niet waarderen dat je over ze schrijft?' vroeg de man. Ik vertelde dat ik vaak met Bart Chabot en Martin Bril op pad ben, om de volgende dag in Brils column in *de Volkskrant* terug te lezen wat toevallige voorbijgangers zoal zeiden en deden. 'Ik weet toch niet of je daar juridisch in alle gevallen mee wegkomt,' zei de oud-rechter dreigend.

Dit stukje speelt zich dus niet af op zondagavond jongstleden in de stampvolle afhaalwachtruimte van het Chinees-Indisch restaurant Tong Ah in Zeist, om een uur of tien voor zes. Een paar keer per jaar rijd ik langs Tong Ah voor hun zi ma ngaw yuk, ossenhaas met sesamzaad, een spectaculair gerecht dat zowel zoet, zuur, scherp, zacht, stevig, smeuïg, rijk en eenvoudig is.

Op terugtocht uit Deventer zag ik dus niet de grote kale bespijkerpakte man die eenzaam met zijn lege kunststoffen boodschappentas zat te wachten op een nasi speciaal. 'Met één extra stokje saté...' riep het meisje achter de afhaalbalie, terwijl ze grote witte vellen papier om twee plastic bakjes vouwde. De vriendelijke man knikte zwijgend. Eén extra stokje saté. Hij ging zichzelf verwennen. Een aandoenlijk beeld: het witte tasje van de serveerster verdween in zijn enorme boodschappentas. Zoals mijn vrouw zou zeggen, als ze erbij was geweest: 'Och arme, kunnen we hem niet adopteren?'

Verderop in de hoek zaten niet twee blonde vrouwen te smoezen. Een van hen keek voortdurend als een schichtig vogeltje om zich heen. Het restaurant was afgeladen, de vriendinnen hadden het over een gebeurtenis die ze nooit hardop hadden besproken wanneer het rustig was geweest.

'Ik heb toen dus per ongeluk mijn lippenstift in zijn auto laten liggen,' hoorde ik haar niet zeggen.

'Nee!' riep haar vriendin.

Ze knikten elkaar betekenisvol toe. Ik vond het ongepast om het gesprek af te luisteren, maar het is als met een tikkende klok: je kunt niet besluiten ergens niet naar te luisteren.

'En heeft zijn echtgenote jouw lippenstift gevonden?' fluisterde de andere vrouw.

'Weet ik niet. Hij heeft ernaar gezocht, maar hij kon het ding ook niet vinden...'

Haar vriendin stelde vast: 'Dus heeft zijn vrouw hem gevonden.'

Met een angstige glimlach keken ze elkaar zwijgend aan.

'En mijn zonnebril ben ik ook al kwijt,' voegde de vrouw van de lippenstift er niet aan toe. Toen ze met vijf grote zakken waren vertrokken, ontging me volledig een gesprek van twee mannen die beiden eenzelfde soort korte broek droegen.

'En, bevalt het?' vroeg de jongste van de twee.

'Wat?' vroeg de oudere.

'Het leven...'

'Ach,' zei de man, 'het blijft veel van weinig.'

De jongere man knikte.

'Toch,' zei hij, niet als vraag, maar als bevestiging. Hierna werden mijn twee zakken zi ma ngaw yuk afgeroepen, en verliet ik het restaurant. Hoeveel je in anderhalve minuut over het leven van anderen te weten kunt komen. En ook hoeveel niet. Toch.

In het donker zonder matras

Dit wordt een moeilijk stukje. Soms schrijft een scène of fragment zich vanzelf. Dan heb ik een spetterend idee onder de douche en kan ik niet wachten om schuimend achter mijn computer te schieten en die column eruit te beuken. Soms ook heb ik een inval die me niet meteen naar mijn werkkamer stuurt. Eerst even iemand bellen. Even in een oude *New Yorker* bladeren. Even in de koelkast kijken. Even zogenaamd nuttige zoektermen koekelen.

Nu, bijvoorbeeld, wil ik vertellen over de Cubaanse schrijver die ik een tijdje terug heb geadopteerd, maar ik worstel met toon & inhoud. Ik wil niet al te guitig doen en ook niet te pamflettistisch worden. Mijn adoptie-Cubaan heet Fidel Suárez Cruz, uit Pinar del Rio in het zuiden van Cuba. Op 18 maart 2003 werd hij gearresteerd en een paar maanden later veroordeeld tot een gevangenisstraf van twintig jaar. Fidel Suárez Cruz behoorde tot een grote groep schrijvers, journalisten en vakbondsmensen die dat jaar door communistische machthebbers werd opgepakt. Hij was directeur van een onafhankelijk buurtbibliotheekje, en ja, dan vraag je er natuurlijk ook wel een beetje om.

Eind vorige eeuw verklaarde El Primo Presidente Fidel Castro zonnig dat er op Cuba geen verboden boeken bestaan. Dit was voor enkele leesminnende Cubanen aanleiding om hun eigen, vaak stiekem met behulp van toeristen bij elkaar verzamelde boekencollectie beschikbaar te stellen aan vrienden en buurtgenoten. Weg met die uitgekauwde marxistische staatsliteratuur. De *bibliotecas independientes* waren geboren, tot ongenoegen van de machthebbers, want de bibliotheekjes — vaak niet meer dan een boekenkast in een huiskamer — werden ook gebruikt voor ontmoetingen, discussies, studiegroepen, enzovoort (zie: www.boekenvoorcuba.nl). Veel amateurbibliothecarissen zitten inmiddels zware gevangenisstraffen uit.

Twee maanden voordat Fidel Suárez Cruz werd opgepakt was ik in Cuba voor een fotoboek met fotograaf Eric van den Elsen. Gevrijwaard van de aanwezigheid van gewone Cubanen sliep ik in een soort apartheidshotel, maar Eric verbleef bij Cubanen thuis, in een zogenoemde *casa*. Toen ik hem daar een keer kwam ophalen vroeg de heer des casas of ik ook fotograaf was. *Periodista*, antwoordde ik. Journalist. Toen de man hiervan schrok legde Eric snel uit dat ik *escritor* was. Schrijver. De casabaas legde joviaal zijn arm om me heen en zei dat hij me in dat geval waarschijnlijk niet hoefde aan te geven bij de politie. Voor iemand die nooit wat meemaakt en desalniettemin een mond vol heeft van vrijheid van meningsuiting een verhelderende ervaring. Ik was even vergeten dat Cuba journalisten martelt. En schrijvers trouwens ook.

Vorige week besloot de Europese Unie de sancties tegen Cuba definitief op te heffen, en nog geen vierentwintig uur later werden er in Cuba alweer zeven mensenrechtenactivisten opgepakt. In Matanzas gebeurde dat. Waar toevallig ook mijn adoptieschrijver gevangen wordt gehouden in een speciale strafcel, waar hij — bleek uit een gesmokkelde brief — soms in afzondering wordt opgesloten, in het donker, zonder matras. Eén keer duurde deze kwelling veertig dagen. Hij mist het contact met zijn vrouw, zijn zieke moeder en zijn vijfjarig zoontje dat aan hepatitis lijdt. Fidel Suárez Cruz is een moedige escritor in een weerzinwekkende dictatuur. Zijn onbuigzame streven naar literaire & geestelijke vrijheid kostte hem zijn fysieke vrijheid. Dit zijn de moeilijkste stukjes om te schrijven.

Brandgang

'Bezoek nooit de plaatsen van je jeugd,' dichtte Martin Bril ooit, 'ze vallen altijd tegen. Net als bij nader inzien die hele jeugd.' Gisteren was er een grote boekenmarkt in het centrum van Dordrecht. De Dordtse nieuwbouwwijk Sterrenburg I — niet te verwarren met Sterrenburg II en III — is de plaats van mijn jeugd, een plek waar ik sinds mijn veertiende één keer ben geweest, toen we met onze kinderen herdachten dat de oma die ze nooit hebben gekend tien jaar dood was. Mijn kinderen waren destijds niet onder de indruk van de buurt waar ik een jeugd lang woonde. Ook mijn moeder heeft altijd gewalgd van de monotone Sterrenburgse eenvormigheid, de huisjes, tuintjes, hofjes, struikjes, paaltjes. Als kind had ik daar geen oog voor. Sterrenburg was voor mij de volmaaktste wijk van Dordrecht, Zuid-Holland, Nederland, Europa, Wereld, Universum.

Op weg naar het Gemmahof speelde mijn autoradio een nummer van Seal, dat ik kon meezingen, terwijl ik het jaren niet had gehoord. Hoe fascinerend ons geheugen. Aangekomen bij de Edingtonweg en de Kleine Beerstraat kwamen er herinneringen, anekdotes en beelden waarvan ik tot dat moment niet wist dat ze ergens in een hersenbrandgang lagen te wachten. Op de hoek van de Keplerweg en de Galileilaan zag ik mijn vader zijn fiets voor een auto gooien en ik hoorde hem uitleggen: 'Je néémt je voorrang. Ik ga liever dood in de wetenschap dat ik voorrang had, dan dat ik blijf leven met de vraag:

waarom heb ik geen voorrang genomen?' Toen mijn vader mij deze wijsheid meegaf was hij jonger dan ik nu ben, wat door mijn gevoel wordt tegengesproken. Een stuk verderop, bij een buurvrouw in de Edingtonweg, zag ik mijn moeder een stervend vogeltje met een straattegel uit zijn lijden verlossen. De verwilderde blik in de ogen van mijn moeder.

En op het Gemmahof de straattegel waarboven we zakken chips leegden, om die met de jongens van onze plaatselijke roversbende zo snel mogelijk te verschalken. Het was de tijd dat buurjongens automatisch elkaars beste vrienden waren. Onze criminele jeugdorganisatie heette de Slingeraars, door mijn vader consequent de Slinger-aars genoemd. Televisieheld Thierry was ons voorbeeld. Met knikkers, verknipte binnenbanden en grote elastieken van de postbode maakten we slingers om onze tegenstanders van het Poolsterhof te kunnen doden, al stond in onze reglementen ook dat een van onze belangrijkste taken was: 'Het helpen oversteken van oude mensen.'

Dertig jaar nadat ik er voor het laatst moet zijn geweest kwam ik gisteren in de brandgang achter ons oude huis. Wederom: er was in al die tijd niets veranderd en ik kon me alles nog herinneren, terwijl ik vooraf niet meer wist dat ik het wist. De tegels, het boeibord van de schuurtjes, de teerlaag op de daken. Hier heb ik urenlang gevoetbald, geknikkerd, getikkerd, geslingerd, geschilderd, gefietst, geklommen, gecowboyd, geverstopt, gemeidenpakt, gebuutvrijt. Die brandgang, besefte ik, ís mijn jeugd.

In de auto terug naar de Dordtse boekenmarkt dacht ik na over het gedicht van Bril. Ik verlang niet terug naar de plaatsen van mijn jeugd. Maar ik ben blij dat ik die brandgang heb gezien.

Hersenschudding

Wie ben ik? Een wezenlijke vraag, die me vorige week werd gesteld. Mijn dochter kwam in paniek de huiskamer binnengerend. Nu is ze vaker in opperste staat van radeloosheid, als ze haar linkerschoen kwijt is of als haar allerbeste lievelingsvriendin in de klas iets onaardigs heeft gezegd. Ik begreep uit haar gestotter dat er iets was gebeurd met haar oudere broer. Hij was bij een vriendje uit een hangmat gevallen. Mijn dochter stamelde dat hij bewusteloos was geweest en had overgegeven. Vijf minuten later zat mijn zoon op de bank, bleek en trillerig. Op aandringen van mijn vrouw belde ik een bevriende arts, die zich net als ik geen zorgen maakte en aankondigde op weg naar huis even langs te wippen. Mijn zoon jammerde dat hij zich het hele voorval niet kon herinneren. 'Dat is heel normaal,' zei ik, 'je hebt waarschijnlijk een kleine hersenschudding.' Mijn zoon keek mij hoofdschuddend aan, en sprak de woorden: 'Wie ben jij eigenlijk?'

Opgetrokken wenkbrauwen bij mij en mijn vrouw. De jongen die zijn vader voor een vreemde hield. Toch maar weer de bevriende arts gebeld, die me adviseerde naar het ziekenhuis te gaan. Onderweg naar de Spoedeisende Hulp had mijn zoon een kortetermijngeheugen van een paar seconden. 'Waar ben ik?' vroeg hij voortdurend. In mijn auto... 'Waarom?' We gaan even naar het ziekenhuis. 'Waarom?' Je bent uit een hangmat gevallen. 'Waar ben ik?' In mijn auto... 'Waarom?'

'Ik ben zuster Dragana,' stelde een Kroatische verpleegkundige zich bij binnenkomst voor. Door haar donkere stem met Balkanse tongval klonk dit eerder als een dreigement dan als een kennismaking. Met een geruststellende routine legde ze mijn zoon aan een paar medische meetapparaten, terwijl ze controlevragen stelde ('Ben jij vandaag naar school geweest?' 'Heeft het vandaag geregend?' 'Hoe heet je zusje?'). Omdat hij veel antwoorden niet wist, barstte mijn zoon in tranen uit. De vertwijfelde onmacht van een tienjarige met geheugenverlies. Zuster Dragana had geen tijd voor gejammer.

'Hou jij eens op met huilen,' zei ze ferm, maar liefdevol. 'Bewaar je tranen voor later.'

Mijn zoon stopte direct met snotteren. Zuster Dragana bracht hem naar de CT-scan en regelde een bed op de kinderafdeling waar hij uit voorzorg zou slapen. Er kwam een veertienjarige co-assistent om mijn zoons reflexen te testen. Mulisch schreef dat niemand iets wordt zonder vooraf ironisch te spelen dat hij het is. Schrijvers of corpsballen doen zich voor als schrijvers of corpsballen, om op een dag vast te stellen dat ze het zijn geworden. De co-assistent speelde dat hij arts was en deed dit erg aandoenlijk. Na zijn onderzoek vroeg hij vriendelijk: 'Weet je nog wie ik ben?'

Mijn zoon schudde zijn hoofd.

'Waar zijn we hier?' vroeg de jongen. Mijn zoon wist het antwoord echt niet.

'Wat ben ik?' vroeg de co-assistent, en hij gaf als hint: 'Kijk eens naar mijn witte jas.'

Mijn zoon keek beteuterd.

'Gitaarleraar?' vroeg hij.

'En wie ben ik?' vroeg ik. Mijn zoon haalde hoofdschuddend zijn schouders op.

'Pappa natuurlijk,' zei hij, en op dat moment wist ik dat hij in zijn hoofd de weg terug had gevonden.

Doe Maar 1982

Afgelopen zaterdag speelde Doe Maar in De Kuip. Daarover later meer, nu een herinnering aan de band. In 1982 won de Centrumpartij een zetel in de Tweede Kamer. Er ging een schok door progressief Nederland, alsof de nazi's hun tanks alweer bij Straatsburg hadden geposteerd. Ook onder de linkse jeugd heerste er grote ontzetting over Janmaats Kamerzetel. Nederland was destijds, zeker onder jongeren, nog overzichtelijk gepolariseerd. Het jongerencentrum dat ik bezocht — De Boemerang in Baarn — werd bevolkt door een spectrum aan politieke voorkeuren: er liepen linksradicale postpunkers, linkse alto's, linksige mods, rechtsige discokapsels, rechtse kakkers en rechts-radicale skinheads (de in Gooise kringen beruchte 'Baarn-skins'). Dit klinkt als een gezellige meute jongeren, maar was het zeker niet. Op avonden dat er in De Boemerang een opruiend skabandje speelde, probeerden de punkers en de mods de boel te verstoren, en als er een ongeregeld groepje maatschappijkritisch reggaevolk optrad, sloegen de kaalkopjes erop los.

Vijfentwintig jaar later vind ik het moeilijk om hierover niet de mantel der nostalgie te leggen, maar ik herinner me uit de goeie ouwe tijd de angst die ik voelde als ik in mijn eentje dromerig naar De Boemerang wandelde, met mijn buttons STOP KERNENERGIE en STOP DE NEUTRONENBOM en wat er allemaal nog meer moest worden gestopt. Daar ik het fysieke overwicht had van een kaneelstok en de weerbaarheid van een natte winegum, was het voor mijn zelfbeeld als superheld niet goed om langs etnocentrische kaalkopjes op brommers te schuifelen.

Wat alle politieke gezindten gemeen hadden: het gevoel dat Amerika, Rusland en China nog tijdens ons te korte leven de aarde kapot zouden atoombombarderen. Of zoals Doe Maar zong: 'Carrière maken, voordat de bom valt, werken aan m'n toekomst, voordat de bom valt...'

Dit komt uit het nummer 'De Bom' uit 1982, Doe Maars eerste nummer-1-hit. Vlak daarvoor had de band nog twee andere hitjes gehad: 'Doris Day' en 'Is dit alles?'. In de zomer van dat jaar speelde Doe Maar in De Boemerang, een optreden dat ver voor hun landelijke doorbraak was geboekt. De band kwam netjes opdraven, hoewel ze net Pinkpop hadden mogen openen en eigenlijk al veel te groot waren voor dit provinciaalse popgat. Hoewel noch de punkers noch de skinheads officieel van Doe Maars nederpop hielden was het in De Boemerang nog nooit zo druk geweest. De groep walmde de geur van aanstormend succes en iedereen wilde daaraan snuffelen.

Bij het begin van het concert zette Henny Vrienten, getooid met een brede felkleurige haarband, de zaken meteen op scherp.

'Wie is er blij... met de Centrumpartij?' was zijn welkom aan de zaal. Vooraan begon een groep neonazi's provocerend te juichen.

'Wij spelen pas verder als dat tuig achteraan gaat staan,' zei Vrienten, al even provocerend. Er ging een golf van instemmend geschreeuw door de zaal, en ook van angst. Eerder waren er massale vechtpartijen in De Boemerang geweest, dit kon gigantisch uit de hand lopen. De skinheads lieten hun ongenoegen merken, maar Vrienten bleef volharden: de kaalkoppen moesten achteraan gaan staan, anders geen concert. Onder afkeurend geloei van de rest van de zaal dropen de Baarn-skins af. Voor weke bleekneuzen als ik was dit een mooie overwinning.

Doe Maar 2008

Laat ik beginnen met de geschiedenis van mijn ogen. Halverwege 1982 kreeg ik contactlenzen, nadat ik vanaf mijn negende een jarenzeventigmodel bril had gedragen, met van die aan elkaar gelaste verchroomde fietswielonderdelen. Loes Haasdijk was mijn bijnaam. Ik neem aan dat ik hoopte dat met mijn overstap op contactlenzen de gemeente Soest drang-hekken om mijn ouderlijk huis zou moeten neerzetten om de stroom 'meisjes die door mij wilden worden ontmaagd' een beetje te reguleren. Die hekken konden ongebruikt weer te-rug in het vet. Mijn lenzen symboliseerden desalniettemin levenslust, nieuwe wegen, een nieuw begin.

Zoals ik in het stukje hiervoor beschreef zag ik — zonder bril — in 1982, in het Baarnse jeugdhonk De Boemerang, een optreden van Doe Maar. Voor mij was dit de juiste band op het juiste moment. De meisjes die ik destijds aanbad droegen ro-ze-groene buttons op hun vrolijke tuinbroeken, en dus droeg ik die ook (die buttons). Van de eerste drie elpees van Doe Maar kende ik ieder nummer uit mijn hoofd, omdat ik de pla-ten heel heel heel vaak draaide. De teksten waren *larger than life*, groter dan mijn leventje in ieder geval. Whisky coke rum of bier, wees niet bang voor mijn lul, vraag me niet waarom de wind waait, ze is ze is van mij, véél te vrij, en je rookt alleen de hoesjes, als jij wou dan verfde jij de wolken blauw.

Ik was fan, tot velen in mijn omgeving na verloop van tijd begonnen te beweren dat Doe Maar een marketingstunt was om jonge-meisjesharten sneller geld uit de zak te kloppen.

Dat is een vast procedé; mijn dochter had hetzelfde met K3. Laatst hoorde ik haar zeggen dat K3 'voor ukkies' was. Ze is zelf al acht namelijk. Achteraf vind ik het beschamend dat ik destijds anderen liet bepalen wat ik ergens van vond, maar dat hoort nu eenmaal bij het ouder worden. Volwassen worden is voornamelijk leren je niet te schamen voor je voorkeuren.

Afgelopen zaterdag had een vriend een kaartje over voor het uitverkochte concert van Doe Maar in De Kuip. Ik kon eigenlijk geen reden bedenken om niet mee te gaan, behalve dat WDR die avond een herhaling van *Tatort* uitzond. Ik heb een hekel aan mensenmassa's, ik vind dat voetbalstadions zijn gebouwd voor voetbal, ik hou niet van meezingen en zeker niet van groepen krampachtig jeugdige leeftijdsgenoten.

'Kom op, je wilt het best, maar je durft het niet toe te geven,' zei mijn vriend. Ik gaf toe. Nu moest ik afgelopen zaterdagmiddag, voordat we naar Rotterdam reden, bij mijn opticien een nieuwe bril ophalen. In 1993 heb ik mijn lenzen weer weggedaan, omdat ik er om de paar maanden ergens een kwijtraakte en ik erg moe werd van mijn eeuwigdurende gebrek aan lenzenvloeistof. De bril die ik zaterdag kreeg heeft (slikgeluid) varifocusglazen, en dan weet je dat de aftakeling definitief heeft ingezet. Met varifocusglazen is er geen weg meer terug; het tandvlees trekt definitief terug, de haargrens wijkt, botten worden brozer.

Terwijl op het podium de energieke zestigers, schijnbaar niet gehinderd door welke fysieke aftakeling dan ook, De Kuip volledig platspeelden, kwamen er bij mij bij vrijwel alle nummers herinneringen op aan vroeger tijden. Dat laantje. Dat meisje. Die avond. Die blik. Die spanning. Die zitzak. Die eenzaamheid. Die onbeantwoorde verliefdheid. De tijd dat ik de wereld nog zag door toekomstvolle ogen.

Bootsop

Als razende reporters voor de buurtsite (een woord dat nog niet in *Van Dale* staat) heeft mijn zoon met een vriendje een interview gemaakt met de bewoners van het studentenhuis naast ons. Onder de titel 'Veel douchen, weinig schoonmaken' beschreven ze de huiselijke wederwaardigheden van de bloem der natie. Kinderen zijn vaak nog conservatiever dan volwassenen. Mijn zoon schrok van de zooi in het huis, de straatnaam- en verkeersborden, kilo's post en kranten, kapotte spullen, graffiti, de open biobak genaamd keuken.

'Hoe kunnen ze daar nou wonen?' vroeg hij ontzet.

'Over tien jaar wonen jullie ook zo,' zei ik.

'Ik ga zeker niet op kamers!' riep hij, en in die waan hebben we hem maar gelaten. Wij wonen naast een Tritonhuis, waar alleen roeiers van de studentenvereniging Triton recht hebben op een kamer. Vorige week vroeg een van de bewoners of ik zin had om hun bootsop eens mee te maken. Hun wat? Hun bootsop. Het roeiseizoen is net afgelopen, de spullen moeten worden gewassen en opgestald voor de zomer. De wedstrijdroeiers hebben vanaf januari niet meer gesnoept en gedronken, en gaan dit in één week goedmaken.

Roeien is van oudsher een van de meest studenterige sporten. In mijn studententijd ben ik met een roeiende huisgenoot eens mee geweest naar Triton, ik geloof dat ik zelfs een keer in... hoe heet zoiets... een boot heb gezeten voor een proefrit, maar de sport was aan mij niet besteed. Mijn huisgenoot nam me mee naar de varsity, een jaarlijkse clash tussen verschillende universiteiten, die al sinds 1883 wordt georganiseerd. Ik herinner me van die regatta vooral de rare hoedjes. Mooie studententradities.

Triton heeft dit jaar voor de tweede keer in zijn geschiedenis de Blauwe Wimpel gewonnen, het kampioenschap van de Amstel (de eerste keer was in 1962). Dit werd tijdens de bootsop uitgebreid gevierd met een binnenbarbecue, een woord dat ook niet in *Van Dale* staat en dat te maken heeft met de huidige stortregenzomers. Ik vond het, als ongetrainde buitenstaander, erg aandoenlijk naar de roeiende halfgoden en -godinnen te kijken. Velen hebben er het afgelopen seizoen 'blik getrokken', oftewel wedstrijden gewonnen, en nu alle stress en afmattende trainingen voorbij zijn, gaven ze zich kinderlijk ongegeneerd over aan hamburgers, drank en snoep.

Een mooi moment: halverwege de bootsop klom een meisje op een tafel om te speechen over een roeister genaamd Roline Repelaer van Driel. Ze haalde het formulier tevoorschijn waarmee deze roeister zich in 2003 had aangemeld bij Triton. Iemand had destijds op dit vel geschreven: 'Rustig meisje, geen wedstrijdroeister.' Roline zit bij de komende Olympische Spelen in de Nederlandse Vrouwen Acht. Ze werd door haar verenigingsgenoten euforisch uitgezwaaid.

Voor iemand met een normaal postuur zijn al die afgetrainde roeierslijven nogal intimiderend. Een jongen vertelde me (ik zeg niet wie, want het gaat hier om een zogenoemd geheim verenigingsmos) dat Tritonezen op hun terrein pas met ontblote schouders mogen paraderen als ze bij een race een beker hebben verdiend. Kortom: alleen winnaars mogen bloot. Mooie tradities.

Een ethologisch veldwerker zou tijdens zo'n bootsop zijn hart kunnen ophalen. Roeien is het tonen van je fysieke kracht, van je groepsgevoel en je doorzettingsvermogen. Roeien is baltsgedrag in de praktijk. De preses van de club liet me een jaarboek zien waarin een afbeelding was opgenomen van de amoureuze dwarsverbanden binnen hun vereniging. Het oogde als een woud van leden en lijntjes. 'In de wetenschap heet zoiets een sociogram,' legde hij uit, 'maar wij noemen dit ons soagram.'

Terugfietsend naar huis, in de soppende regen, dacht ik aan mijn zoon, die wellicht over tien jaar gaat roeien.

De erotische leefgemeenschap

Meer dan tien jaar geleden interviewde ik voor een vrouwen-blad de zanger Huub van der Lubbe. Hij deed een uitspraak die me af en toe te binnen schiet (als ik bij een bakker ben). Op de vraag of seks belangrijk was, zei hij: 'Het is door seks dat wij er zijn. Vroeger, toen de mens nog niet kon spreken, at men en had men seks. Toen kwam de taal, die de strijd aanging met die ongebreidelde seks. Ik merk dat bij wijze van spreken al om acht uur 's ochtends bij de bakker. Je komt daar en merkt dat er een mooie vrouw staat. Eigenlijk denk je: goh, die zou ik wel... Het is dan de cultuur die je ervan weerhoudt om ach-ter die vrouw aan te gaan. En gelukkig maar, misschien. Dat je niet om acht uur 's morgens je broek openknoopt en vraagt "mevrouw, mag ik even?" en dat zij dan zegt "tuurlijk, jon-gen".'

Ik weet niet of het een specifieke mannenfantasie is, maar zo heb ik me de wereld ook weleens voorgesteld: je gaat naar de buurtsuper, daar staat een bevallige mevrouw, die jou toe-vallig ook leuk vindt, en niets weerhoudt jullie ervan om tus-sen de schappen broodbeleg en babyvoeding de daad bij de gedachte te voegen. Op de terugweg naar huis zie je bij de bushalte wederom een aantrekkelijke vrouw, die jou toevallig ook aantrekkelijk vindt, en niets weerhoudt jullie ervan om... nou ja, enzovoort. Deze gedachte is niet nieuw. De Franse vroegsocialistische theoreticus Charles Fourier (1772–1837) vond dat alle moraal erop was gericht om lusten te onder-drukken. Dit leidde uiteindelijk tot hypocrisie, verdrongen passie en onnatuurlijk, ja zelfs schadelijk gedrag. Het burgerlijk huwelijk zorgde louter voor jaloezie en niet na te komen verplichtingen, en maakte het slechtste in de mensen los. In zijn ver na zijn dood gepubliceerde boek *Le nouveau monde amoureux* (het verscheen pas in 1967) streefde Fourier utopische erotische leefgemeenschappen (*phalanstères*) na, waarin oprecht gepassioneerd zou worden geleefd, met openbare orgiën ter bevordering van de gemeenschapszin. Niks geen geniepig overspel en achterbakse ranzigheid, bij Fourier mocht iedereen zijn lusten openlijk naleven, want dat zou de harmonie van de groep bevorderen.

Ik moest hieraan denken toen ik gisteren bij *Netwerk* een reportage zag over de Orde der Transformanten, een christelijke leefgemeenschap in het Brabantse plaatsje Hoeven, waarvan de leden in zeven vrijstaande villa's proberen te leven zonder jaloezie, angst en onzekerheid. De boze buitenwereld noemen zij 'de matrix' (bij Fourier de *civilisation*) en in de binnenwereld voelen ze zich de spaken aan de as van Gods wiel. Dit zou volgens de media leiden tot losbandig gedrag, waarbij de sekteleden erotische betrekkingen hebben met meerdere personen. Met name voorganger Robert Baart zou een harem vrouwen hebben en een bepalende rol spelen in het seksuele netwerk van zijn schapen.

Nu heeft de gretigheid waarmee de media zich op deze sekte storten zelf ook perverse trekjes. Blijkbaar geven de sekteleden zich over aan een sluimerend verlangen dat velen koesteren. Ik vroeg destijds aan Huub van der Lubbe of het door hem geschetste fantasiebeeld een ideale wereld zou zijn. Hij antwoordde: 'Nee, gelukkig oefenen vrouwen een remmende functie uit. Die zitten namelijk met de gebakken peren van al die seks. Misschien is daarom cultuur ook wel door vrouwen geïnspireerd. Volgens mij is cultuur een vorm van safe sex. De cultuur leidt onze geslachtsdriften in banen.'

Volgens mij heeft hij gelijk, jammer genoeg.

Het gezicht van haat

Over Karadžić. Acht jaar geleden was ik met een groep journalisten en schrijvers in Bosnië-Herzegovina voor de herdenking van de genocide bij Srebrenica. Deze massamoord voltrok zich in de dagen na 11 juli 1995, de dag dat de moslimenclave viel. Dit gebied stond onder bescherming van Nederlandse soldaten van de VN, maar zoals een Engelse generaal eergisteren op de BBC met ingehouden verontwaardiging samenvatte: '*The Dutch could not, or would not, do a thing.*'

De herdenkingsplechtigheid zou op 11 juli 2001 plaatsvinden op het veld naast de voormalige compound van Dutchbat. Het was op die plek waar de slachting van achtduizend moslims zich voor een groot deel had voltrokken: tot ver in de omtrek waren in de nacht van 13 juli 1995 urenlange moordroffels te horen geweest. Heden ten dage ligt het terrein vanuit het perspectief van de moslim-Bosniërs nog steeds in 'vijandelijk' gebied, namelijk in de Republika Srpska, het Servische deel van Bosnië.

Duizenden nabestaanden, voor een groot deel vrouwen, vertrokken vanuit tientallen Bosnische plaatsen naar de voormalige *safe area* bij Potocari. Wij-van-de-media reisden in een bus met airconditioning, die ons eerder die week van de hoofdstad Sarajevo naar de provinciestad Tuzla had gereden, waar een met Nederlands geld gefinancierd mortuarium staat (in een enorme hal lagen duizenden witte zakken met nog ongeïdentificeerde lichaamsdelen). We verzamelden bij het dorpje Kladanj, langs de grens van de Republika Srpska.

Honderden gammele, vaak oude Nederlandse streekbussen kwamen daar bij elkaar, om als een gesloten konvooi door het vijandelijke gebied te rijden.

Oorlogsdreiging: vele helikopters vlogen laag over en honderden tanks, bewapende VN-soldaten en Bosnische agenten begeleidden de uittocht. Ook onze bus werd streng gecontroleerd op bommen en wapens. De vrije stoelen in onze bus werden gevuld door politiemannen en moslimvrouwen die op de bonnefooi naar Kladanj waren gereisd.

En toen begon de reis. Wij reden vlak achter een uitgeleefde Nederlandse streekbrik, die volgens een bord richting Tilburg ging. Op de achterzijde zagen we een grote advertentie van Nationale Nederlanden: WAT ER OOK GEBEURT.

De sfeer zoals die in de bussen was had ik niet eerder meegemaakt: er heerste angst, verdriet, spanning, ongeloof, kille drift. De vrouwen waren zichtbaar nerveus, want bij de herdenking van het jaar daarvoor waren bussen bekogeld met stenen, en woedende Bosnische Serviërs hadden groepen rouwende vrouwen omsingeld. Ik keek naar de mensen op straat en zag dat ze een mij onbekend handgebaar maakten, met de duim, wijs- en middelvinger omhoog, een teken dat door onze Bosnische tolk werd uitgelegd als de Servische Hitlergroet.

Ook zag ik in die bus voor het eerst het gezicht van haat. Haat in de ogen van passagiers en omstanders. Zwartgeklede Bosnische weduwen die uit pure machteloosheid hun knuisterige vuisten opstaken naar al even woedende leeftijdgenoten aan de andere kant van de ruit. Wat mensen elkaar aandoen. Armando introduceerde ooit de mooie term 'schuldig landschap', een landschap dat de gruwelen heeft gezien. Het landschap dat deze honderden bussen doorkruisten was confronterend, woedend, kolkend, verzengend. In de berm van de weg woedde een explosieve dreigende brand. Provocerende Servische burgers probeerden de Bosniërs in de bussen uit te dagen en te beledigen. Hoe daag je moslims uit? Door varkens te tonen. Dat is voor mij het beeld dat me van deze tocht het meest zal bijblijven: het konvooi rouwenden reed door dorpjes waar de bewoners treiterig en trots onschuldige biggetjes omhooghielden. Het gezicht van haat.

God verdoeme mij

Vorige week hoorde ik Rick van der Ploeg op de radio filosoferen over onderwijs en de rol van de PvdA in het kabinet. Het was het gebruikelijke politieke geblabla, tot Van der Ploeg zich in een bijzin plotseling het enthousiaste tussenwerpsel 'godverdomme' liet ontvallen. Hij praatte er snel overheen, maar bij mij bleef het woord hangen. Godverdomme. Het maffe was: ik heb helemaal niets tegen het gebruik van dit woord, maar schrok er zelf ook van. Zo erg is het met de vrijheid van vloeken. Hoe vaak horen we een (oud-)politicus dit soort woorden bezigen? Zittend bij mijn radio zag ik de dienstdoende antivloektaliban zich verslikken. Driftig maakte hij voor de christelijke Vloekmonitor 2008 een aantekening. Slechte beurt voor de voormalige staatssecretaris! Het maakte Van der Ploeg meteen een stuk sympathieker.

Volgens de Leidse vloekprofessor Piet van Sterkenburg zou de krachtterm van Van der Ploeg een vorm van 'maatschappelijk gevloek' zijn, bedoeld om de conversatie te verlevendigen of om mensen te imponeren. Een andere vorm is het zogenaamde 'negatieve gebed'. Zeven jaar geleden was ik in Srebrenica, waar journalisten en schrijvers verslag zouden doen van de herdenking van de massamoord. Vlak voordat enkele verslaggevers live moesten, kwam het bericht dat Herman Brood zelfmoord had gepleegd. Veel items werden daardoor terstond geschrapt. Een van de journalisten reageerde hierop met een welluidend negatief gebed ('gódverdómme!'), waardoor weer een andere journalist zich gekrenkt voelde in zijn geloof. 'Je beledigt mij daarmee,' zei de verslaggever tegen zijn collega. 'Godsamme,' reageerde deze, 'hebben gelovigen niets beters te doen dan voortdurend de oren van God te spelen?'

'Godverdomme' is wat taalkundigen een interjectie noemen, een tussenwerpsel. Oorspronkelijk komt het woord van de bezwering 'God verdoeme mij als ik de waarheid niet spreek' oftewel: als ik lieg mag ik ter plekke doodvallen. Zij is in onbruik geraakt — aldus Van Sterkenburg — toen men deze zin begon te zweren zonder het te menen, en dus meineed pleegde. Hiermee belasterde men de naam van God. Niemand die mij iets vraagt, maar de oplossing voor dit probleem zou natuurlijk zijn: méén het als u vloekt. Als Rick van der Ploeg een bevlogen appèl op universiteiten doet om meer leergierige migranten naar Nederland te halen, en hij eindigt zijn betoog met een diepdoorleefd 'Godverdoememijalsikdewaarheidnietspreek', dan zal geen enkele vloekmonitor hem dat euvel kunnen duiden.

En toch blijft het — je durft het in deze tijden bijna niet meer toe te geven — ook aangenaam om te vloeken voor de lol. Ik herinner me nog de opwinding die ik vroeger voelde als mijn vader godverdegodverdegodverde. Dat deed hij niet vaak, maar als het gebeurde rolden wij schaterend over de vloer. Het zal opvoedkundig verwerpelijk zijn, maar ook mijn kinderen weten me er altijd mee te ontroeren. Ooit stond ik met mijn destijds vierjarige zoon in een rij bij Schiphol te wachten bij het inchecken. Mijn zoon zat op mijn schouders en trok aan mijn haren.

'Stop daar eens even mee,' zei ik na een tijdje, waarop mijn zoon met een piepstemmetje ontwapenend aanvulde: 'Godverrrdómme.' Omstanders moesten hierom lachen. Ik probeerde 's Neerlands jongste gilles-de-la-tourettepatiëntje tevergeefs tot de orde te roepen, want toen hij doorhad welke reacties dit woord bij volwassenen ontlokte, bleef hij maar doorgaan.

'En nu hou je er maar eens mee op,' zei ik, nadat hij een keer of wat de lachers op zijn hand had, en mijn zoon antwoordde met bolle wangen van plezier: 'Oké pappa... godverrrrdómme!'

Gaming

Soms klap ik achterover van pure wezensverwondering over de wereld die ik niet ken. Bij een nieuwsprogramma zag ik dat deze week op een veld bij de gemeente Oirschot tot 4 augustus 'de grootste outdoor gamingvakantie van de wereld' wordt gehouden. Outdoor gaming... Op een kampeerterrein komen 1750 relatief jeugdige campinggasten bij elkaar om, gelegen in hun tent, de dingen te doen die ze normaal op hun donkere jongenskamer doen: computerspelletjes spelen. Speciaal voor Codemasters CampZone, zoals het evenement heet, is er een razendsnel LAN-netwerk aangelegd van kenmerkende oranje fiberkabels, zodat deelnemers de spellen op hun zelfmeegebrachte pc's niet hoeven te spelen in de singleplayermode, maar ongestoord met elkaar kunnen online multiplayen (het lijkt wel hermetische poëzie, deze vakidiote informaticataal). Wat mij ontroert: de communicatie tussen de campinggasten onderling vindt tijdens het festival voornamelijk plaats... via hun computers. 's Ochtends gebruiken ze in de maintent een snelle CampZone 2008 gamehap, maar daarna is het vliegensvlug terug naar de slaapzakken om elkaar digitaal uit te wonen.

Vroeger had ik een huisgenoot die verslaafd was aan het computerspelletje Doom, een 'First Person Shooter'-spel, niet te verwarren met een 'Third Person Shooter' als Tomb Raider. Bij een FPS ligt het perspectief bij degene achter de computer: het computerscherm is zijn blikveld. Ik heb Doom ook weleens gespeeld, maar het verveelt vrij snel om als een reumapatiënt met een anaalfisuur motorisch gestoord door een niet al te realistisch landschap te hobbelen, op zoek naar mensen die om onduidelijke redenen allemaal doodgeschoten moeten worden.

Nu heb ik mij niet in mijn eerste vooroordeel verslikt. Met mijn oogklepkennis van de wereld dacht ik dat gaming iets was voor masturbatoire nerds met vettige brillenglazen. Dit blijkt bekrompenheid mijnerzijds. Het computerspel heeft tegenwoordig in Nederland een omzet van meer dan een miljard euro, en dat is meer dan er in de filmwereld of de boekenbranche omgaat (en net niet meer dan er jaarlijks in het drogekattenbrokjessegment wordt besteed, las ik op internet). Een deskundige vertelde op tv dat de gemiddelde leeftijd van de gamer helemaal niet meer zo jeugdig is: drieëndertig jaar. Dat moet betekenen dat er ook veel bejaarden stiekem zitten te gamen. Ik kan niet zeggen dat er in mijn omgeving veel wordt gegamed, maar ik ken ook niemand die lid is van een boekenclub, terwijl een op de tien Nederlanders zich daarvoor heeft ingeschreven.

'We gaan ons dus de komende jaren concentreren op spellen voor specifieke doelgroepen,' ging de deskundige verder, 'gamen voor vrouwen, gamen voor ouderen... iedere beroepsgroep kan in principe zijn eigen game krijgen.'

Iedere beroepsgroep zijn eigen game. Noem me solipsistisch, maar zoiets betrek ik direct op het boekenvak. Een game voor schrijvers, wat kunnen we ons daarbij voorstellen? Ik zie een First Person Shooter voor me, die een odyssee moet maken door vele werelden, levels en weerbarstige landschappen die bevolkt worden door duivelse recensenten, dappere onafhankelijke boekverkopers, gefnuikte halftalentjes en hoogbehakte loopse chicklitschrijfsters. In onverwachte hoeken zien we voortdurend een rondstuiterende golem met krulletjes genaamd The Grunn die astmatisch van woede zijn lansje kruist met de wandelstok van de immer bulderende mastodont AFT. Er is een level waar Sonja Bakker vetgemest kan worden. Een verschrikkelijk oude Baroness From Hell, Marjan Berk, heeft een onuitputtelijke geldbron en er waart één onsterfelijke ziel: Harry Mulisch, de laatste van de lugubere Grote Drie (sta niet in de buurt van zijn pijp!).

Als dit spel wordt ontwikkeld, lig ik volgend jaar in een tent op het Codemasters CampZone-terrein.

Trampoline

Tv-comedienne Roseanne Barr heeft eens gezegd: 'Iedere dag dat mijn kinderen aan het eind van de avond nog in leven zijn, heb ik het als moeder goed gedaan.' Ik zou die uitspraak willen bijpunten: iedere dag dat mijn kinderen aan het eind van de avond niet door mij zijn gekeeld, heb ik het als vader goed gedaan.

Ik vind schrijven een vaak ingewikkelde bezigheid, het onderhouden van vriendschappen is ook niet bepaald makkelijk, burgerlijk functioneren kost mij veel inspanning, maar het opvoeden van kinderen spant de kroon: dat is voor mij het allermoeilijkste dat er is. Nu zal iedere columnist zich soms Carmiggelt voelen. Af en toe lees ik van mezelf stukjes terug waar mijn kinderen in voorkomen, van die kijk-mij-hier-eens-even-de-leuke-vader-uithangenanekdotes over mijn dochter die een uitsmijter een uitschijter heeft genoemd, mijn tweejarige dreumes die alles 'boeie!' vindt en andere vertederende momenten. Het is maar één kant van het verhaal. Natuurlijk zijn kinderen aandoenlijk, soms wijs, en soms zelfs uitermate grappig, maar de waarheid is dat ze ook moedeloosmakend en tot huilens toe vervelend kunnen zijn.

Het is een van de laatste Grote Taboes: hoe onuitstaanbaar zwaar het is om kinderen te hebben. Ik ben geen misopeed (iemand die een hekel heeft aan kinderen), maar vraag me oprecht af waarom mensen kinderen hebben. Kinderen lijken me pas echt leuk als het de kinderen van je kinderen zijn, tenminste dat moet ik concluderen als ik kijk naar het gedrag van de opa's en oma's in mijn omgeving. Ik voel een doorleefd medelijden met de hologige ouders die met witte gezichtjes beweren: 'Kinderen hebben mijn leven echt verrijkt.'

Met terugwerkende kracht ben ik misobillcosbisch (iemand die een hekel heeft aan Bill Cosby) en krijg ik spontaan diarree van de verantwoorde, rustige, weloverwogen ouders die adviseren dat je als opvoeder vooral 'consequent' moet blijven. Wie dat heeft bedacht mag de rest van zijn leven consequent in een ballenbak worden opgesloten.

Gisteren hebben mijn vrouw en ik op het veld voor ons vakantiehuisje een trampoline in elkaar gezet, daarbij gadegeslagen door onze kinderen, die zich deze voorstelling niet lieten ontzeggen. Zelf ben ik misotrampoleed, maar om van het gesmeek om zo'n springding af te zijn hebben we een loodzwaar exemplaar mee naar Frankrijk gezeuld. De trampoline die wij hadden gekocht was *beyond* Ikea. Citaat uit de handleiding: 'Een persoon tilt de ondersteuning van stap 2 tot een staande verticale positie en plaatst één van de verbindingen met die (3) van het verticale-poot-verlenging gedeelte van de ondersteuning.' Aha.

De filosoof Plato hield niet van lachen. Een schaterbui ging volgens hem gepaard met een dusdanig verlies aan zelfcontrole dat gierende mensen niet meer menselijk lijken. Leedvermaak was bij hem uit den boze, en dus gaf hij in *De republiek* het advies zich niet met lage vormen van amusement in te laten. Mijn kinderen hebben Plato niet gelezen en schamen zich (nog) niet voor hun verlies aan zelfcontrole. Zij hebben schaterlachend toegezien hoe hun steeds woedender wordende ouders bezweet en vloekend in de weer gingen met buizen, veren en gaatjes in het frame ('hoe kán dit godsámme nu wéér niet pássen?').

Vier uur van onze kostbare vakantie zijn we ermee bezig geweest, maar nu zijn onze drie geweldige bloedjes dan toch heerlijk aan het springen. 'Meerdere gebruikers verhogen het risico op letsel,' lees ik in de gebruiksaanwijzing, gevolgd door de uitleg: 'Zoals een gebroken hoofd.'

Ik ben te moe om de consequente opvoeder te zijn en laat ze lekker springen.

Geweld op tv

Arthur Conan Doyle schreef ooit (in zijn boek *Een studie in rood*, voor wie het per se weten wil): 'Het leven is oneindig veel vreemder dan alles wat een mensengeest zou kunnen verzinnen.' Mooie uitspraak, al moet ik zeggen dat ik het geestesleven van onze diersoort al behoorlijk van de vreemde vind. Wij hebben in ons vakantiehuisje sinds kort een schotelantenne, om in godsnaam niet nog een keer een groot sportevenement via het gekraak van Radio Nederland Wereldomroep te hoeven volgen. Hoewel ons lokaal aangeschafte schotelkastje 374 zenders vindt, zitten daar geen Nederlandstalige tussen. Dat geeft niets, want wat we wel kunnen ontvangen maakt alles goed. Boedapest TV bijvoorbeeld. Gisteren heb ik uren gefascineerd naar deze omroep gekeken. Wat een heerlijke mensen! Wat een eenvoud! Gewoon nog één vaste camera en een studio met vetplanten. Een man met een zonnebril die een half uur aan het woord is. Een autist die op Bud Spencer lijkt en die ook een half uur aan het woord is. Een psychopaat die een half uur lang emotieloos 'urrürtuüuruütrüruüdurtürru' mompelt.

Via TV Galicia, Euskadi TV, TVE Internacional en Al Jazeera kwamen we bij Andalucía TV. Mijn kinderen keken met mij mee, met grote ogen van verbazing. Wat ze zagen, hadden ze niet kunnen bedenken. Al in 1971 werd er in Amerika onderzoek gedaan naar de vraag in hoeverre het gedrag van kinderen wordt beïnvloed door televisie. Worden ze altruïstisch van liefdadigheidsprogramma's en agressief van programma's met geweld? Begin jaren zeventig bevatten primetime tv-uitzendingen gemiddeld acht gewelddadige incidenten. Tegenwoordig is dat niet anders: tegen de tijd dat kinderen van de basisschool komen hebben ze ongeveer achtduizend moorden en honderdduizend andere gewelddaden gezien.

Tot gisteren hoorde daar, althans voor mijn kinderen, stierenvechten niet bij. Mijn zoon keek met open mond toe, mijn dochter had haar handen voor haar ogen geslagen. Ook ik moest slikken, want het gebeurt niet vaak dat we er als tv-kijkers getuige van mogen zijn hoe een groep losgeslagen fatterige nepclowns met knotjes een paar prachtige stieren martelt, aangemoedigd door een opgehitste menigte. En toch, dat was het vreemde, bleven we kijken. Andalucía TV brengt een stierengevecht als een volwassen sportwedstrijd, met herhalingen, inserts, snelle interviewtjes, analyses en commentaar van twee stieren-Johan Derksen.

We zagen een nieuwe toreador de arena in lopen (volgens *Van Dale* is de verkleinvorm toreadorretje), toegejuicht door een menigte opgegeilde Spaanse vrouwen. Zo'n stierenvechter ziet eruit alsof hij een voorwerp in zijn kont heeft, want het is niet helemaal normaal zoals zo'n man loopt. Als een mensgeworden erectie nam toreador Ricardo Ordonez de ovatie van het publiek in ontvangst, waarna de 515 kilo zware stier Humito de arena in mocht.

'Wat is de bedoeling?' vroeg mijn dochter, die niet begreep wat de sport behelsde. Hoe leg je aan een kind uit wat een stierengevecht is?

'Een stier wordt doodgestoken, terwijl de toeschouwers "olé" roepen,' vatte ik het spelletje samen. Mijn kinderen keken hoofdschuddend toe hoe de banderillero's Humito met hun doeken ophitsten, hoe het beest speren in zijn rug kreeg gestoken, en hoe de picador, gezeten op een ingepakt paard, een paar keer laf een lans in zijn rug zette. Vervolgens maakte matador Ordonez onze Humito af met een sabel, waarna hij een oor van het beest naar de witte zakdoekjes van het publiek wierp.

Ik keek naar mijn kinderen (mijn zoon woedend, mijn dochter verbijsterd). Misschien was het opvoedkundig niet verantwoord, maar ik denk niet dat ze er agressiever van zijn geworden.

Misantroop

Jos Stelling heeft een film gemaakt over een man die op een luchthaven zit te wachten. Er gebeurt niets, behalve dat die kerel een beetje om zich heen staart. Ik zit hier in mijn eigen Jos Stelling. Mijn auto staat geparkeerd op het enorme terrein van een Franse supermarkt. Het is kwart over vijf, oftewel topdrukte. Mijn gezin heeft zich in de massa gestort, ik ben bij onze slapende baby gebleven. Monter registreer ik omstanders. Daar worstelt een vrouw met een winkelwagentje. Daar jengelt een kind. Daar lopen twee... twee... mensen denk ik dat het zijn. Ik kan schrikbarend lang nutteloos om me heen kijken naar niks. Pascal (1623–1662) schreef ooit: 'Niets is zo onverdraaglijk voor de mens als om volledig in rust te zijn, zonder hartstochten, zonder dingen te doen, zonder vermaak, zonder iets omhanden. Dan voelt hij zijn nietigheid, zijn ontoereikendheid, zijn afhankelijkheid, zijn machteloosheid, zijn leegte.'

Deze zin ken ik niet uit mijn hoofd, maar haal ik uit *Het rusteloze graf* van de misantroop Palinurus (pseudoniem van de Engelse criticus Cyril Connolly), dat ik bij me heb gestoken om iets te lezen als mijn kinderen straks nog gaan zwemmen. Ik ben niet avontuurlijk genoeg om ieder jaar naar een ander inteeltgebied op vakantie te gaan, en ook herlees ik al vijfentwintig jaar bijna iedere zomer Palinurus (zijn aantekeningen uit 1944 werden in 1982 vertaald door Geerten Meijsing). Mijn exemplaar is bezoedeld met kruisjes, notities en vlekken.

Van Kooten & De Bie schreven in een *Bescheurkalender* hoe je als 'kicks voor niks' voorbijgangers op de muziek van je autoradio kunt laten lopen. Ik ontwikkel ter plekke de kick om passanten te laten bewegen onder een voice-over van Palinurus.

Daar parkeert een norse man die er niet uitziet alsof hij is gepromoveerd op de leer van de immanente finaliteit. Ik kijk in Palinurus en heb direct een passend citaat paraat. 'Geen meningen, geen ideeën, geen werkelijke kennis van iets, geen idealen, geen inspiratie; een vet, lui, klaaglijk, hebzuchtig, impotent lijk.'

Het opvallende aan Franse parkeerplaatsen is dat de strepen vaak te dicht bij elkaar staan. Sommige automobilisten trekken zich sowieso niets van deze strepen aan, anderen doen autistisch hun best precies binnen een vak te parkeren. Ik zie een man met een petje zijn Toyota verbeten acht keer heen en weer steken. Palinurus: 'Altijd moe, altijd verveeld, altijd beledigd, altijd vol haat.'

Er schuifelt een middelbare vrouw met een bijna lege kar naar haar Mini Cooper. *'Ne cherchez plus mon coeur, les bêtes l'ont mangé,'* schrijft Palinurus (zoek niet meer naar mijn hart, de beesten hebben het opgegeten).

Dit Normandische gebied wordt bevolkt door veel somber ogende lieden. Daar een man met een te vaak gewassen overhemd. *'Il n'y a qu'un malheur, celui d'être né'* (er is slechts één ongeluk, dat van geboren te zijn).

Palinurus citeert regelmatig andere aforisten. Er komt een echtpaar aangereden dat radioactief ongelukkig lijkt. Voor de vrouw blader ik naar een citaat van de door Palinurus geliefde Chamfort: 'De liefde, zoals die in de samenleving bestaat, is slechts de uitwisseling van twee fantasieën en het contact van twee huiden.'

En ook de man wandelt uit mijn zicht met een wijsheid van Chamfort: 'Je moet iedere ochtend een pad doorslikken opdat je er zeker van bent niet iets nog walgelijkers tegen te komen voor de dag ten einde is.'

Vlak voordat mijn gezin terugkeert, lees ik nog een Palinurus voor mezelf: 'Iedereen die niet op zijn veertigste een misantroop is, heeft nooit van mensen gehouden.'

Le Bonheur de Chine

Als reservebril ben ik vrij om te schrijven wat ik wil, al hoef ik van *de Volkskrant* de actualiteit niet te schuwen. Mocht volgende week Osama Bin Laden eindelijk worden ontmaskerd als gemeentelijk welzijnswerker in de Utrechtse prachtwijk Kanaleneiland, dan vindt de redactie het aardig als er ook in mijn column aan het wereldnieuws wordt gerefereerd. Welnu.

Voor wie het is ontgaan: vanavond beginnen in Peking de Olympische Spelen. Vanuit Frankrijk voel ik een morele plicht mijn steentje aan dit pronkzieke feestje van het dictatoriale Chinese martelaarsregime bij te dragen, maar eerlijk gezegd heb ik geen idee wat ik zou kunnen toevoegen aan de voorbeschouwingen over kanovaarders, dwergwerpers en berenhappers, of welke fascinerende demonstratiesporten er dit jaar nog meer bij zijn gekomen (957 medailles voor 302 onderdelen).

Nu heeft het oude Normandische havenstadje Fécamp een klein Chinatown, bestaande uit het Chinese restaurant Le Bonheur de Chine. Wij komen al tientallen jaren in dit gebied, maar nog nooit is het ervan gekomen bij dit eethuis naar binnen te gaan (onder het motto: 'de chinees die de boer niet kent vreet hij niet'). En dus bedachten we om dáár vandaag de ceremonie in Peking luister bij te zetten met een feestelijk diner. We, dat zijn, naast mijn vrouw en ik, mijn oudste zoon (titelverdediger in het onderdeel 'bestek op de grond laten vallen'), mijn dochter (Europees recordhoudster 'glazen omkieperen') en onze jongste, die we onderling The Last Emperor noemen, vanwege zijn vermogen om overal alles en iedereen naar zijn hand te zetten.

Le Bonheur de Chine oogt als een Nederlandse chinees. Er hangen oosterse frutsels aan de muur, in een hoek zien we een grote visvijver en op de tafels liggen vaalroze lakens die je alleen bij Chinese restaurants ziet. We werden ontvangen door een serveerster, die ons placeerde, menukaarten neerlegde en zonder oogknipperen vroeg: 'Wajje wielen joelie dlienken?'

Wij verrukt natuurlijk, want ze sprak beter Nederlands dan welke Fransoos dan ook die we ooit zijn tegengekomen. We vroegen waar de vrouw deze woorden had geleerd, waarop ze een Lulu Wang-achtig verhaal begon af te steken over de geschiedenis van haar familie, tot na een minuut of vijf de naam Nijmegen viel. Och arme, van Hongkong, naar Nijmegen, naar Fécamp.

Inmiddels hadden mijn kinderen gezien dat er geen babi pangang, kroepoek of foe yong hai op de kaart stond. Ik probeerde uit te leggen dat in ieder land de Chinese keuken zich aanpast aan de lokale voorkeuren. Het bestellen was nogal een probleem, want mijn dochter lust niets waar 'ei', 'ui', 'groen', 'rood', 'boter', 'margarine' of 'olijfolie' in zit en mijn zoon doet er acht jaar over om een keuze te maken. Voor mijn dochter namen we een aangeklede *riz cantonnais*, mijn zoon kreeg *coquille Saint-Jacques au saté sur plaque chauffante* (op een hete plaat geserveerde sint-jakobsschelpen in satésaus) en wij namen een halve *canard laqué Pekinois* (de variant met *peau* en *crêpes speciales*).

Hierna begonnen de spelen. Mijn oudste zoon won een gouden plak in het nummer 'vingers branden aan de plaque chauffante', mijn dochters perfect uitgevoerde oefening in de categorie 'doperwten zoeken in de nasi' was ook goed voor het hoogste eremetaal, en de heat van onze jongste in de tak 'flirten met serveersters' imponeerde niet alleen de Chinese vakjury, ook het omringende Franse publiek zette het op een vertederd zuchten. Kostelijke zonde dat bij mijn onderdeel onze medailleregen haperde, doordat ik uitgerekend in het koningsnummer 'eten met stokjes voor motorisch gestoorde Nederlanders' zo jammerlijk faalde.

Euthanasie light

Dit wordt geen sentimenteel stuk, want ik ben niet snel tranerig en mijn vader was dit al evenmin. 'Als ik aan het eind van mijn leven maar doodga, vind ik alles best,' was een van zijn stoïcijnse bon mots. Vandaag zou mijn vader vijfenzeventig jaar zijn geworden, ware het niet dat hij anderhalf jaar geleden overleed aan de gevolgen van botkanker. Mijn vader kreeg in de dagen voor zijn overlijden een medisch begeleide dosis morfine. 'Eindelijk aan de drugs,' zei hij hierover. De behandeling die hij kreeg wordt 'palliatieve sedatie' genoemd, een eufemisme voor 'euthanasie light', bedoeld om patiënten domineeverantwoord te laten sterven. De patiënt wordt kunstmatig in slaap gehouden en niet bijgevoed. Dusdanig uitgedroogd en opgejut overlijdt hij door een hartaanval. Sedatie is uitgevonden voor politici, artsen en zieken die — begrijpelijk — de dood niet rechtstreeks in de ogen durven of kunnen kijken. Mijn vader, een uitgesproken voorstander van euthanasie, was altijd van plan zelf zijn eigen dood te kiezen, mocht híj ooit in de omstandigheden verkeren. Toen dat moment toch nog onverwachts snel kwam, was zijn lichaam wettelijk genoeg aangetast door woekerende cellen en waren zijn vooruitzichten wettelijk voldoende uitzichtloos, dat hij van zijn huisarts de vraag kreeg of hij de verlossende injecties wilde hebben.

'Ik ben er voor 80 procent,' zei mijn vader, waarmee hij bedoelde dat hij er nog niet klaar voor was. Er kwam nog een wedstrijd van Feyenoord, er waren nog dingen af te ronden, er zouden nog mensen langskomen die hij graag zag. 'Vraag het me over een paar dagen nog eens,' zei mijn vader.

Een paar dagen later waren zijn tumoren verder gewoekerd en was de toediening van morfine sterk opgevoerd. Mijn vader kreeg nu zo'n hoge pijnstilling dat hij regelmatig verward was. Morfine maakt meer kapot dan je lief is. Toen de arts mijn vader, zoals afgesproken, nogmaals de finale vraag stelde, was hij niet in staat een coherent antwoord te geven. En dus werd er in overleg met zijn gezin besloten tot surrogaateuthanasie. Sedatie was niet wat mijn vader altijd had gewild, maar het leek als *second best thing* het enige alternatief.

Mijn eerste moeder — als kind van de jaren zeventig had ik er twee — was ruim tien jaar daarvoor overleden door euthanasie, een sterven waaraan ik, hoe vreemd dat ook klinkt, warme herinneringen koester. Tot het einde toe bleef mijn moeder de regisseur van haar leven: haar geest bleef de baas over haar ziekte.

Voor ons als naasten was sedatie, vergeleken met euthanasie, bepaald geen prettig gezicht. Mijn vader lag in de huiskamer, op een gehuurd hoog bed, en ging na zijn spuitje steeds onregelmatiger hijgen, hij begon te zweten en had onrustige buien. Regelmatig vergat hij te ademen, waardoor het zuurstofgehalte in zijn bloed zo laag werd dat hij in een reflex plotseling heftig naar adem hapte. Wij waren hiervoor door de zuster gewaarschuwd, maar het bleven akelige momenten.

Het wachten op mijn vaders verlossende hartaanval duurde lang, zo lang dat ik na vele slopende uren besloot thuis schone spullen te halen en mijn kinderen even te zien. Ik was nog niet vertrokken of ik werd gebeld door mijn tweede moeder.

Nogmaals, ik heb geen zin om er sentimenteel over te doen (dood is dood, en iemand die terminale sedatie krijgt heeft volgens artsen geen enkele pijn), maar toch hoop ik dat ik, mocht ik ooit in die omstandigheden verkeren, nog kan kiezen voor euthanasie.

Eerbiedige stilte

Dit is een beeld dat ik mij vandaag herinnerde: mijn ouders namen ons mee naar een tentoonstelling van een 'bevriende kunstenaar'. Gezeten tussen BKR-schilderijen van bruine vlekken en aangekoekt menstruatievocht zaten mijn zus en ik op een bankje in de hoek van de galerie te wachten, allebei timide knabbelend van een zakje chips en daarmee de eerbiedige stilte verbrekend. Ik denk dat ik me toen heb voorgenomen mijn eigen kinderen nooit verplicht mee naar kunst te nemen.

Tegenwoordig nemen mijn kinderen mij mee. Vanmiddag gingen we in het oude havenstadje Fécamp naar de fabriek waar D.O.M. Bénédictine wordt gedestilleerd. Ieder jaar komen we hier minstens twee keer, niet omdat het zo spectaculair is, maar om er op vaste plekken foto's te maken. Vroeger, voor de verbouwing van ons huis, hielden we de groei van onze kinderen bij door op een muur streepjes te zetten met een corresponderende datum erbij. En toen kwam onze aannemer met een paar sloopgrage Polen, en werd dit tere aandenken gedachteloos weggehakt. Een schrale troost zijn de jaarlijkse vakantiefoto's in het Paleis van Bénédictine.

Duizend jaar geleden stichtten monniken in Fécamp een benedictijner orde, waar ze net als in andere kloosters medicijnen en elixers maakten. In het begin van de zestiende eeuw werd het recept van een beroemd levensdrankje van de abdij opgetekend, maar dit papiertje raakte zoek in de chaos rond de Franse Revolutie. In 1863 vond een wijnhandelaar het terug in een oud boek, waarna het werd aangepast en op de markt gebracht onder de naam D.O.M. Bénédictine. Men besloot de distilleerderij te huisvesten in een zogenaamd Paleis-Museum, een protserig en pronkerig gotisch gebouw, type Eurodisney *avant l'architecture.*

Mijn kinderen komen er graag, uiteraard voor de collectie veertiende- en vijftiende-eeuwse kunst, maar vooral voor de zaal waar alle zevenentwintig planten en kruiden liggen die gebruikt worden voor de fabricage van het drankje. Kinderen, en volwassenen, mogen al die kruiden ruiken, voelen en proeven: hysop, engelwortel, melisse, jeneverbes, kaneel, thee, tijm, koriander, kruidnagel, et cetera. Terwijl mijn kinderen eerst het verplichte rondje langs middeleeuwse manuscripten, sleutels, laarzen en schilderijen maakten, bleef ik met onze baby achter in de tussenzaal met beelden van belangrijke abten. Ik vind slapende kinderen geen vervelend gezelschap. Zodra ze wakker zijn, of eigenlijk zodra ze beginnen te praten, is de lol er wel af. Mijn jongste kan al praten, maar zijn conversatie bestaat gelukkig alleen nog maar uit de eenwoordige bijdragen ja, nee, hapje, mamma, dlinke, ete, koe, boe, woef en boeie (dat laatste woord heeft hij geleerd van mijn oudste zoon).

Nu hoor ik mensen met een vreemd gevoel van zelfhaat vaak zeggen dat ze op vakantie liever geen Nederlanders tegenkomen. Ik kom nooit in Torremolinos, dus ik kan niet meepraten over het beschavingsloze gedrag van landgenoten, maar over vakantie-Nederlanders in Normandië heb ik me nooit vrolijk gemaakt. Tot vandaag. Stuiterend van plezier rende mijn dreumes vandaag in de Salle des Abbés over de houten vloer. De enige andere bezoekster was een streng kijkende Nederlandse mevrouw in een lange plooirok met kniekousen. Ze droeg een kruis om haar hals. Misprijzend volgde ze hoe mijn zoon uitgelaten rondhobbelde, terwijl zij de eerbiedige beelden van de kerkvorsten probeerde te bekijken.

Mijn zoontje keek haar regelmatig schaterlachend aan, maar zij bleef strak terugkijken. Pas toen hij uitgleed over een glad roostertje in het parket, lachte de vrouw heel even, met een hoge uithaal van leedvermaak. Geschrokken van haar eigen lach keek ze weg. Ik hou het erop dat ze meer van God houdt dan van mensen.

Breaking news

Gistermiddag 13.48 uur. Omdat het stormt in Normandië wil ik op Eurosport kijken naar de Olympische Spelen. Ik blijf hangen op de Engelstalige zender van Al Jazeera, de Arabische nieuwszender. Zij hebben breaking news. Een Georgische journalist spreekt van een *'historical moment'*. Nu hebben we die de afgelopen dagen vanwege de Olympische Spelen veel gehad, maar ik schakel toch even naar het Engelstalige Russia Today, de Russische Al Jazeera. Daar is het *Georgie-bashing as usual*: onder de enorme kop *'Tears and sorrow'* berichten ze over de *'hundreds of funerals held for those killed during Georgia's attacks'*. CNN, de Amerikaanse Russia Today, heeft het brekende nieuws van Al Jazeera nog niet. Zij brengen het bericht dat de Russen de status van de bedreigde gebieden van vitaal belang achten.

Dan maar naar Sky News, het Engelse CNN. Daar luidt de kop: *'Russian tanks moving out Gori towards Georgian Capital'*. Klinkt dreigend. En vreemd genoeg ook best lekker. Meer te weten kom ik niet, want een of andere Brits halftalentje heeft een bronzen medaille gewonnen.

Over naar BBC World, de Britse publieke versie van Sky News. Dikke letters: *'Reports of Russian armoured column on road tot Tbilisi'*. Mijn oudste zoon wil weten wat een gewapende column is. Hij is verbaasd, want de oorlog was toch afgelopen? Handenwrijvend komt hij naast me zitten. Dit is beter dan Peking.

Het Engelstalige France 24, de Franse BBC World, houdt

zich opvallend afzijdig. Dan maar weer naar Russia Today. De afgelopen dagen bracht deze zender het tegengeluid in de propagandaoorlog. Zij spraken consequent over *peacekeepers* die door het geweld van de Georgische machthebbers waren genoodzaakt in te grijpen. De Russische minister van Buitenlandse Zaken legde op RT smalend uit dat de Georgiërs zichzelf *the number one* democratie van de regio noemen: 'Zij zijn in ieder geval the number one wapeninkopers van de wereld. En welke democratie verbiedt Russische media en legt Russische internetsites plat?' Van een eventuele opmars van Russische tanks naar Tbilisi is op dit moment bij RT nog geen sprake: '*Abkhazian forces drive Georgian troops out of disputed territory*' melden ze.

Een verslaggever van BBC World vertelt dat Russische tanks in Gori het verkeer tegenhouden. Er zijn ook berichten dat de Russen Gori zouden verlaten in de richting van de hoofdstad. Maar: '*Russia won't comment on armoured column.*'

Op CNN zegt de Georgische president Mikheil Saakashvili live dat de Russen de wapenstilstand schenden. Terwijl hij dit zegt, zien we de headline: '*Russia urges Georgia to respect cease-fire*'.

Ondertussen, 14.55 uur, is er een persconferentie van Europese ministers van Buitenlandse zaken (alle zenders). De Fransman Bernard Kouchner beantwoordt vragen over Europese inmenging en diplomatie. Vanaf mijn Normandische bank roep ik: 'Weet je dan niet dat Tbilisi wordt bedreigd, *as we speak*!'

Sky News interviewt verslaggever-ter-plaatse Andrew Wilson: hij is zojuist in Gori bedreigd door Russische commando's. Er zijn zeker Russische tanks buiten Gori. En zo zappen we in staat van paraatheid verder. Bij France 24 verklaart een Russische minister dat er zeker geen Russische tanks oprukken naar Tbilisi en CNN bericht over het militaire konvooi: '*Destination unclear.*'

Na een uur spanning begint de nieuwsstorm een beetje te luwen. Inmiddels hebben we op Eurosport gezien hoe Michael Phelps zijn vijfde gouden medaille won. BBC World meldt dat *'Russia says it's removing military equipment from area'*. De Amerikaanse president Bush doet live nog een plas, en ook in Normandië is de storm weer gaan liggen. Zolang als het duurt, want het weer is hier wisselvallig.

Mijn vrouw

Onze jongste zoon heeft vanmiddag met een stift de bank van het vakantiehuisje beklad. Ik nam hem op schoot en fluisterde in zijn oor: 'Weet je wel dat als het aan ons lag, jij er eigenlijk nooit was geweest?'

Een paar maanden na de geboorte van onze dochter had ik een afspraak gemaakt met onze huisarts. Dat was de deal die mijn vrouw en ik hadden: zíj zou twee kinderen op aarde persen persen persen doorgaan persen, en bescheiden zou ík twee kleine knoopjes in mijn zaadleiders laten branden. Vaak hoor je mannen schouderophalend vertellen dat de ingreep in hun vruchtbaarheidskanaaltjes niets voorstelde. Op een schaal van oerknal tot eeuwigheid doet het dat natuurlijk ook niet, maar als je op een koude maandagochtend in een olijfkleurige operatiekamer met je benen gespreid een urologe voor de tweede maal een dikke injectienaald in de lucht ziet houden 'omdat de verdoving blijkbaar niet aanslaat', ligt het perspectief toch anders.

Door mijn gekronkel had de urologe een bloedvat geraakt en daarom was mijn scrotum dik en opgezet, en dit zou in de loop van dag nog erger worden, kondigde ze aan.

'Waarschijnlijk wordt hij zwart,' zei ze, 'maar dat betekent niets.'

Een nietsbetekenende zwarte zak; ik vertelde het na, lachend als een net gesteriliseerde boer. Die avond ging op het Neude een culinair festival van start. Ik mocht een feestelijke column voordragen, een uitnodiging die ik achteloos had aangenomen omdat ik er door alle ontnuchterende ervaringen van de gesteriliseerde mannen in mijn omgeving van uit was gegaan dat een vasectomie te vergelijken viel met het bijvijlen van je teennagels. De kloppende pijn in mijn kloten werd gedurende de middag echter steeds erger.

'Ik ga afbellen,' zei ik tegen mijn vrouw, die mij een aansteller vond en me twee extra paracetamolletjes gaf boven op de pillen die ik van het ziekenhuis had gekregen. Ze had zich op de avond verheugd. Als gage voor mijn feestrede zou ik van de organisatie een onbeperkt aantal consumptiemunten krijgen, een vooruitzicht dat zij zich niet ging laten ontzeggen omdat ik met o-benen kreunend door het huis waggelde. Niet vaak ben ik zo populair geweest als die avond, met die onbeperkte hoeveelheid consumptiemunten bungelend in mijn broekzak. En dat er daar nog iets anders bungelde, merkte ik gedurende de avond eigenlijk al niet meer, wat vooral te maken had met een vrolijke cocktail van paracetamol, ibuprofen en dat 'ene glaasje sancerre' (dat ongemerkt steeds werd bijgevuld). Mijn balzak vormde die avond een epicentrum van pijn, maar mijn lichaam merkte dit pas de volgende ochtend.

De weken na mijn sterilisatie kreeg ik een steeds zwarter wordende sinaasappel tussen mijn benen, die steeds minder pijn begon te doen. Na twee maanden was er niet meer over dan een vaalblauw mandarijntje. Het verhaal van mijn vasectomie werd allengs een anekdote. Tot mijn vrouw en ik al na een paar maanden tegen elkaar zeiden... dat we een enorme fout hadden begaan. De wil om onze wederzijdse genen samen te smelten tot nieuwe geentjes was sterker dan alle familiaire, financiële en fysieke bezwaren. En dus maakten we een afspraak bij een uroloog, toevallig een andere dan de Gretchen Gestapo die mijn leidinkjes had dichtgebrand. Ik vertelde dat ik voor een hersteloperatie kwam, waarop de man mij opgetogen aankeek. Hij keek nog verheugder naar mijn vrouw, draaide zich weer naar mij en vroeg met een blik van mannelijke verstandhouding: 'Nieuwe vriendin?'

Een jaar later kregen we onze nieuwe bankbevuiler.

Marie en haar Mari

Omdat we er een paar keer per week komen, noemen we het ons vaste strandje, een ingeslepen kleine baai in de immense Normandische krijtrotsen. Bij vloed is dit een uitgestorven plek met hooguit een paar *baigneurs*, bij eb komen plaatselijke *pêcheurs* in de drooggevallen keistranden zoeken naar garnalen en andere eetbare zeekruipers. In het begin van de vorige eeuw stond in deze inham een sanatorium waar stadskinderen konden genezen van tuberculose, maar dat gebouw is al lang verdwenen. Op de restanten heeft men een parkeerterrein en een petanquebaan gelegd, er staan wat seizoenhuizen en links in de rotsen is een hokje uitgehakt. Daar heeft iemand in een onvast kinderlijk handschrift een bord opgehangen met de tekst BIENVENUE CHEZ MARIE.

Marie, een bejaarde vrouw die immer gekleed gaat in verlopen kleurcombinaties die volgens geen enkele modegril ooit bij elkaar hebben gepast, is de uitbaatster van dit hokje. Ze verkoopt er ijsjes, drank, broodjes en frites. Niet dat ze het heel druk heeft, want daarvoor heeft de baai te weinig aanloop. Wij kopen vaak iets bij haar, uit angst dat ze failliet gaat als we dat niet meer doen. Terwijl mijn gezin op het strand naar bijzondere keien zocht heb ik gistermiddag een paar uur op Maries terrasje gezeten. Noem het straattheater of antropologisch veldwerk: het is *gefundenes Fressen* om te volgen wat er allemaal gebeurt bij zo'n hok.

Marie heeft een man, door ons de Mari van Marie genoemd. Mari ziet eruit als een kruising tussen Louis de Funès en een

oude perzik. Hij draagt meestal een hoedje en een bandplooi-
broek met bretels. Marie en Mari zijn altijd samen, en ze
hebben altijd ruzie. Af en toe komt een lokale bewoner even
langs om het echtpaar vriendelijk te groeten, mannen met
vormloze baarden, vrouwen met vormloze lichamen. Zodra
die zijn verdwenen beginnen de verbale veldslagen weer. Ik
probeerde gisteren te volgen waar hun gekijf over ging, maar
hun Normandische dialect klinkt als een plaat van de Beatles
die wordt teruggedraaid. Ik geloof dat Marie zich er vooral
over opwond dat Mari de flesopener altijd zoekmaakt en dat
hij constant te veel wisselgeld teruggeeft.

Op een gegeven moment stopte er een Nederlander in een
suv die te groot was voor één parkeerplaats. Gehaast liep hij
naar Maries barretje. Vingerknippend wees hij in de vriezer
tien magnums en een paar cornetto's aan. Hij wilde ze allemaal hebben. Nu was het pakken van deze bestelling zo gebeurd, maar Mari had vijf minuten nodig om uit te rekenen
wat het kostte. Dit duurde de automobilist — in zijn vrije tijd
Voorzitter Van De Nederlandse Vereniging Voor Mannen Met
Een Kleine Penis — veel te lang. Hij maakte een gebaar naar
Mari of hij niet op kon schieten. Dit moet Mari dusdanig onder druk hebben gezet dat hij een verkeerd bedrag noemde.
Althans in de ogen van Marie. Zij deed het rekenwerk nog
eens over en kwam op een heel ander bedrag. Inmiddels begonnen de ijsjes goed te smelten, tot ergernis van de suv-rij-
der. Hij had ondertussen zelf uitgerekend wat zijn bestelling
moest kosten en schreef dit bedrag op een papiertje. Omdat
Marie noch Mari het hiermee eens was, begonnen ze nu alle
drie opnieuw te rekenen. Uiteindelijk bleek de Nederlander
gelijk te hebben, hij smeet twee biljetten van twintig euro op
de toonbank, waarna Mari zorgvuldig, zeg maar langzaam, het
wisselgeld uittelde. Marie en Mari hebben nog een half uur
nageruzied over wie van hen het meest ongelijk had. Ik denk
dat ze in hun hart veel van elkaar houden.

Shakespeare

Heel erg lang geleden (ik was uitgemergeld en babyvet tegelijk) bezocht ik een pre-auditie van de Amsterdamse toneelschool. Omdat ik vanaf mijn zesde jaar de onwankelbare overtuiging had dat ik toneelspeler ging worden — in zwakkere momenten kon dat ook acteur of cabaretier zijn — had ik mij vol vertrouwen aangemeld. Het was een verschrikking. Eerst kregen wij, puberende eindexamenleerlingen, de opdracht in een kring 'op ons allergewoonst te staan met ons allergewoonste gezicht'. Net toen ik had uitgedokterd hoe je dat deed, kwam er een harig figuur met een nog nooit gewassen spijkerpak opdrachten schreeuwen als: 'Zing een lied, nu!' Of: 'Vertel me de waarheid, nu!' Of: 'Dans! Dans dan toch!' Hierna moesten we een ochtend lang in een verzonnen bos lopen 'terwijl de bomen op ons afkwamen', om ons vervolgens bezig te houden met de uitbeelding van het seksuele leven van een vleesetende aquariumvis.

Ook moesten we een uit ons hoofd geleerde toneelmonoloog voordragen. In mijn overmoedige onschuld had ik thuis dé monoloog der monologen voorbereid: Hamlets overpeinzing over leven en dood (in de jarenvijftigvertaling van Bert Voeten). Hier in Normandië kan ik de tekst nog zo opdreunen: 'Bestaan of niet bestaan, daar gaat het om. Of het edeler in de geest is pijl en slinger van het moordzuchtig toeval te verdragen, of muitend tegen een zee van moeilijkheden...' De harige types waren niet onder de indruk van mijn plechtige *soliloque*. 'Je heb geen flauw idee wat je allemaal wauwelt,' was het commentaar, waarna ik het verzoek kreeg om twee jaar later nog eens terug te komen als ik wat meer levenservaring had opgedaan. Dat is er helaas nooit van gekomen.

Mijn liefde voor Shakespeare werd er niet minder om. Ik heb in de loop der jaren een paar dikke biografieën over hem gelezen en veel uitvoeringen van zijn toneelstukken gezien (onder andere een waarin een Vlaamse subsidie-Hamlet 'zijn of niet zijn' ironisch uitwauwelde met een Amsterdams accent). Uiteraard heb ook ik mijn studentikoze fase gehad waarin ik beweerde dat William Shakespeare William Shakespeare helemaal niet kon zijn geweest, zoals vele literaire complottheoretici de afgelopen eeuw hebben verkondigd.

Vlak voordat ik op vakantie ging zag ik dat Bill Bryson — schrijver van het onnavolgbare *Een kleine geschiedenis van bijna alles* — ook een biografie over Shakespeare heeft geschreven. Een nogal dun boekje, maar dat wordt door Bryson afdoende verklaard: er is feitelijk namelijk bijna niets wat we écht weten over Shakespeare. De dikke monografieën over hem zijn louter gebaseerd op een handjevol vermeldingen in officiële documenten. Vrijwel alles wat over het leven van William Shakespeare is geschreven, komt neer op interpretatie en fictie. Ook de portretten van hem zijn ver na zijn dood getekend. Van Shakespeare zelf is, op zes handtekeningen na, helemaal niets bewaard gebleven. Uit die krabbels blijkt dat hij zijn eigen naam nooit als Shakespeare heeft geschreven, maar dat hij zwabberde tussen Shakspere, Shakespe en Shakspeare.

Over Shakespeare heeft Bryson niet veel meer te melden dan dat er bijna niets is om te melden, maar de wereld waarin Shakespeare leefde weet hij beeldend neer te zetten, met geweldige details. Zo vertelt hij dat veel welvarende Londenaren in de jaren rond 1600 zwarte tanden hadden, vanwege een opstormend suikergebruik. Arme mensen, die zich geen suiker konden veroorloven, kleurden hun tanden kunstmatig zwart om hun schamele afkomst te verdoezelen. Ook schrijft Bryson zeer fraai over de toenmalige bloeiende toneelwereld, zo fraai dat ik het bijna jammer vind dat mijn eigen toneelcarrière zo harteloos in de kiem werd gesmoord.

Proosten naar de sterren

Op de meeste plekken is het in het heelal min 270 graden, maar hier in Normandië is het zowaar redelijk broeierig voor een onbewolkte nacht: een graad of 8. Op het veld bij ons huisje staan twee eenzame paarden, hun ademstoten worden verlicht door de maan. Er zijn vrienden over uit Nederland. Hun en onze kinderen liggen eindelijk te slapen, dit is het moment om uitgeput bij elkaar te zitten, naar de sterren te staren, te roken en loom te drinken van onze glazen.

Onder de sterren hoor je te praten over de nietigheid van de mens. Wij zijn allen afstammelingen van een aërobe bacterie, die twee miljard jaar geleden ontstond in een zuurstofonvriendelijk milieu. Als afzonderlijke soort bestaan we pas een te verwaarlozen honderddertigduizend jaar. We zijn, zoals alles wat leeft, het product van evolutie. Ons netvlies is feitelijk een deel van onze hersens en onze oren waren vroeger monden (reptielachtige voorouders legden honderden miljoenen jaren geleden hun kaken op de grond om aan de trillingen te voelen of er een roofdier in de buurt was, en daaruit zijn onze oren ontstaan). Doordat onze hersens steeds groter werden, pronkten onze voorouders niet alleen meer met hun fysieke capaciteiten, maar werden onze intellectuele capaciteiten sexy en begeerlijk. Hierdoor zijn wij de enige diersoort die zich bewust is van zichzelf en zich bedient van een complexe taal.

We praten over de complexe dingen des levens: de opvoeding van kinderen, ziektes in onze vriendenkring, de vijfenzestig miljoen doden die er onder het bewind van Mao vielen, terwijl zijn beeltenis vandaag de dag overal zo kritiekloos wordt getoond. De nietigheid van al die doden. Onze Melkweg bevat minstens driehonderd miljard sterren, wisten jullie dat? Er zijn nog minstens honderd miljard andere sterrenstelsels, sterker nog: in ons waarneembare heelal bevinden zich vijftien triljard sterren (dat is een vijftien met eenentwintig nullen). Ons heelal is pak 'm beet 13,7 miljard jaar oud, waarbij we niet kijken op een paar honderd miljoen jaar meer of minder. Het is oneindig én het ontstond met een oerknal, dat weet een kind. Hoe kan dat eigenlijk: één oerknal die een oneindig heelal creëert? Antwoord: de oerknal vond niet op één plek plaats — zoals iedereen altijd denkt — maar op een oneindige hoeveelheid plekken in een heelal dat direct oneindig groot was. Of zoiets. Natuurkundigen denken dat ons universum zich bevindt in een zogenaamde 'hogerdimensionale ruimte', waarin nog veel meer universums zijn te vinden, het zogenaamde multiversum. Maar laten we onze mooie koppies daarover niet te veel proberen te breken, want we zullen het toch niet begrijpen. Onze hersens zijn gemaakt om zich bezig te houden met gnoes en waterbuffels, eindige dingen kortom. 'Dat we dit universum niet kunnen bevatten is omdat we sterfelijk zijn,' schrijft het Vlaamse wonderkind Kris Verburgh (1986) in zijn fantastische boek *Fantastisch!*.

Zwijgend kijken we omhoog. Ergens op een ander gestold magmaballetje bij een van die ontelbare andere zonnen in die ontelbare andere multiversums moeten er ook wezens in de ruimte staren, nippend van een lokaal drankje. Laten we volgende keer ergens afspreken! Ik ken een leuke plek op een planeet bij Proxima Centauri, de ster die het dichtst bij ons staat. Het licht gaat met 300.000 kilometer per seconde, de zon staat zo'n acht lichtminuten van ons vandaan, Proxima Centauri bereiken we in 4,3 lichtjaar. Dat is met de huidige techniek een ruimtereis die 75.000 jaar duurt, maar dan moeten we wel vannacht nog vertrekken. We houden onze glazen in de lucht en proosten naar de sterren.

Champagne

Het was ons derde kind, maar de bevalling ging moeizamer dan bij de vorige twee. Onze jongste was groot en zwaar, blakend, sterk, stevig. Toen de verloskundige was verdwenen kwamen onze andere kinderen uit school om hun broertje te begroeten. We ontvingen nog meer bezoek, en terwijl ik bij een snackbar voor mijn vrouw broodjes ossenworst en tartaar haalde (die zij tijdens haar zwangerschap zo had moeten missen) stuurde ik vrolijke sms'en naar vrienden. In de namiddag lag ik met mijn zoon op bed. Ik merkte dat hij in korte tijd een vreemde kleur kreeg, en ook maakte hij rare geluiden. Geschrokken belde ik de verloskundige, maar het verschijnsel was niet ongewoon. Ons kindje had bij de bevalling enorme krachten te verduren gehad en dit was blijkbaar hoe zijn lichaam reageerde. Mijn zoon lag gewoon te kirren, zei ze. Net toen ze adviseerde wat extra babyvoeding te geven, trok hij bij. Met grote ogen staarde hij de kamer in.

Een half uur later had mijn vrouw onze zoon op haar borst. Plotseling werd hij weer dieppaars en opnieuw leek hij niet te ademen. Nu hebben we het geluk dat onze buurvrouw Astrid verpleegkundige is en afdelingshoofd van de Spoedeisende Hulp van het dichtstbijzijnde ziekenhuis. Ik rende naar haar huis en riep dat er iets niet goed was met onze baby.

'Ben je in staat auto te rijden?' vroeg Astrid, toen ze een blik op ons jongetje had geworpen. Ze pakte een paar dekens en wikkelde hem erin. 'We gaan niet op een ambulance wachten.'

Een minuut later reden we de straat uit. Ik herinner me van die tocht naar het ziekenhuis alleen dat mijn zoon purperblauw en levenloos in Astrids armen lag en dat zij verwoede pogingen deed hem ademend te houden. Later, veel later, zou ze vertellen dat ze bang was dat ze hem op dat moment zou kwijtraken.

Toen we bij het ziekenhuis aankwamen was mijn zoon weer opgeknapt, zijn ogen keken uitdrukkingsloos naar alle ophef. Hij werd op een behandeltafel gelegd en een verpleegkundige ontfermde zich over hem. Ik vertelde van zijn paarse aanvallen, terwijl de zuster hem aansloot op toeters en bellen. Bij een van die apparaten scoorde hij 99 procent. Dat zag er goed uit en de zuster reageerde met een geruststellende knik. Zij draaide zich om en op dat moment zag ik mijn zoon weer blauw worden. De meter liep snel terug: 78 procent, 56 procent, 37 procent. De zuster probeerde mijn zoon erbij te houden, en in lichte paniek belde ze de kinderarts. 'U moet nu komen,' hoorde ik haar zeggen. Even later kwam Astrid het kamertje binnen, ze pakte me beet en begeleidde me de kamer uit. Op de gang werd het me plotseling duidelijk: hij ging dood. Ik was erg lucide en tegelijkertijd ging alles langs me heen. Talloze beelden flitsten in een fractie van een seconde door mijn hoofd: ik zag de meelevende gevoelvolle ogen van de kinderarts, ik zag mezelf alleen terugrijden naar huis, ik zag me het nieuws vertellen aan mijn vrouw, mijn kinderen, een volle aula, huilende vrienden, ik zag een rieten kist en hoorde Spinvis door de boxen. Toen stapte de kinderarts de gang op. 'Uw zoon is weer bij,' zei hij vriendelijk. Liggend in een couveuse leek mijn jongetje me met grote verbaasde ogen aan te kijken.

Negen weken en een paar zware operaties later kwam hij thuis, en nog veel later — vandaag om precies te zijn — vieren we zijn tweede verjaardag, met een veel te grote taart, een immense rol ossenworst en een onverantwoord grote fles champagne.

Geritsel in de nacht

Vorige week zaten we met uit Nederland overgekomen vrienden in de koele Normandische nacht te kijken naar de heldere maan en de sterren. We dronken calvados en uitgedaagd door de immense weidsheid van de hemelboog filosofeerden we over de dingen van het leven. Toen ik hierover wilde schrijven had ik een bepaald onderwerp in gedachten. Mijn vingers begonnen epileptisch van enthousiasme over de toetsen van mijn laptop te ratelen, en zoals het soms gaat — iedereen die weleens schrijft zal dit kunnen beamen — glipte het van tevoren bedachte onderwerp er ongemerkt vandoor. Als een haas liet het zich voortjagen over het scherm van mijn laptop, terwijl ik uitweidde over sterren, evolutie en oerknal. En plotseling was mijn beoogde onderwerp verdwenen, en mijn stukje verstuurd.

Dit is wat ik voor me uitjoeg. Vorige week zaten we met uit Nederland overgekomen vrienden in de koele Normandische nacht te kijken naar de heldere maan en de sterren. Plotseling hoorden we geritsel in de bosjes. *'Le vent murmure dans les arbres'* is een zinnetje dat ik me van lessen Frans herinner, maar dit geluid werd niet veroorzaakt door de ruisende avondwind: het ging om serieus geritsel. Angst wordt opgewekt in een hersengebied dat amygdala heet. Zodra zich iets schrikbarends voordoet, pompt dit orgaan een extra dosis neurotransmitters rond, zodat de andere hersengebieden weten dat er iets aan de hand is. De hersens reageren vervolgens met 'een emotie', een niet-talige vorm van communicatie. Wanneer een voorouder tijdens een tocht door het bos verstarde, grote ogen kreeg en bleek wegtrok, wisten zijn groepsgenoten dat er gevaar dreigde. Mijn vrouw keek met grote ogen naar de nabijgelegen bosjes en trok bleek weg. Geschrokken tuurde ze in het donker. 'Ik zie een vos,' zei ze. Gedrieën keken we dezelfde kant op als zij. En daar stond hij: een prachtig beest met een glanzendroestige vacht en een dikke staart, een kruising tussen een minzame poes en een jachthond. Langzaam stak hij zijn spitse snuit door de bosjes en onvervaard keek hij ons aan met groenbruine ogen. Ik voelde een paar extra shots neurotransmitter door mijn hersens stromen, mijn nekharen schoten overeind en mijn stadse oerinstinct wilde dit moordzuchtige roofdier met een knuppel verjagen. Hij ging ons allen de keel doorbijten, hij ging onze provisiekast leegroven, onze kinderen verkrachten, er met de auto vandoor. Geparalyseerd keek ik toe hoe een van onze vrienden wat worst van tafel pakte en dit naar het beestje wierp. Met een beginnende anafylactische shock stamelde ik iets over rabiës, virussen en andere gevaren, terwijl het beestje zonder schroom naar ons toe liep om de worst te verschalken.

Een vos in het wild. Ik ben een geboren stadsmens en 'de natuur', of wat dat moest voorstellen, kende ik jarenlang eigenlijk alleen van het decor van Paulus de Boskabouter (door mijn vader consequent Bolus de Puskabouter genoemd). Het was wonderbaarlijk hoe kalm de vos was, terwijl we mogen aannemen dat de boeren in de omgeving niet blij met de sluwe kippenmoordenaar zullen zijn. We hebben foto's van hem mogen nemen, we hebben zelfs de kinderen wakker gemaakt, want hoe vaak kunnen zij als stadskinderen een in het wild levend roofdier in de ogen kijken? Geïnteresseerd, bijna vriendelijk, keek het beestje om zich heen, alsof het zelf ook verheugd was over de ontmoeting (ik werd er een beetje emotioneel van, maar dat kan ook de calvados zijn geweest). Net toen onze kinderen vroegen of we hem niet konden houden, glipte onze wonderlijke bezoeker ervandoor als een haas.

Chattes panoramique

Mijn vrouw kreeg voor haar verjaardag van haar vriendin Annemiek een ingelijste *Libelle*-achtige poster van verschillende gedroogde kruiden met hun Franse naam eronder. Zoiets kun je in de keuken hangen als je niet meer weet hoe de kruiden in het Frans worden genoemd. Althans, dat dacht ik.

'Kijk eens goed,' zei mijn vrouw.

Ik keek beter. Annemiek vertelde dat ze deze zomer in het Italiaanse plaatsje Guardistallo de lijst had zien hangen op het toilet van het eethuis Beva Fresca (op de Plazza della chiesa numero 5, voor wie het per se weten wil). Ze had net zo lang gezeurd bij de eigenaar van het restaurant tot hij haar de poster liet overkopen. Ik keek nog beter, want eigenlijk begreep ik niet waarom Annemiek zoveel moeite had gedaan voor een affiche dat je bij iedere Potten & Pannen kunt aanschaffen. Onder de geëtste kruidenbosjes las ik de tekst '*La salle de projection des chattes panoramiques*'.

Panoramische *chattes*? Onder de boeketjes stonden namen als Viêtnamienne, Suédoise en Soviétique. Kruiden die mij weinig zeiden. Zoals je bij een 3D-plaatje soms even moet wachten tot de beeltenis zich prijsgeeft, duurde het even voor ik doorhad dat ik zat te kijken naar een overzicht van schaamhaardracht uit verschillende landen. Schaamhaar dat dus verdomd veel op takjes gedroogde kruiden lijkt. De Japanse haardracht was bescheiden uitgewied, de Zweedse vrouw droeg wat bermaanplant langs de kant van de weg, het Belgische kapsel had iets van een pieterpaadje, daarentegen leek de Boliviaanse een halve kilo tuinaarde tussen haar benen te klemmen en oogde de schaamstreek van de Canadese vrouw als een weggelopen marmot.

De Franse schilder Gustave Courbet schilderde ooit een vrouw met een overdreven weelderige bos pubarche, onder de titel *l'Origine du monde*. Aan de hoeveelheid haar van de verschillende uithoeken van de wereld te zien, maakte Annemieks poster een beetje een gedateerde indruk. Ik geloof dat hedendaagse vrouwen er in het algemeen niet meer zo bij lopen.

Een paar jaar geleden mocht ik ergens in Noord-Holland voorlezen op een groot feest ter gelegenheid van de zestigste verjaardag van een kunstenaarsvrouw. Ze was het stralende middelpunt van een al even stralende vriendinnenclub (van die vrouwen die hoe ouder ze worden elkaar steeds vaker 'meisje' noemen). Haar vriendinnen gaven haar een enorme ingelijste foto van toen ze begin twintig was. Onder de voornamelijk oudere dames steeg een uitbundig applaus op (hoewel ik naast me een mevrouw, die duidelijk niet aan het cadeau had bijgedragen, hoorde zeggen dat ze het maar een gemene actie vond).

Opvallend was dat de kunstenaarsvrouw destijds veel molliger was dan op haar zestigste en dat ze voor haar benen een soort van... bruin droogboeket hield, bol als een suikerspin. Het oogde als een *bad pubic hair day* en het was alsof Garfunkel (van het onvermijdelijke duo Simon & Garfunkel) achter deze kunstenaarsvrouw had gehurkt en zijn hoofd tussen haar benen had gestoken. Wat was het toch dat vrouwen in die jaren hun woekerende helmgras niet schoren? En hoe moest het toentertijd voor een dappere padvinder zijn om zich een weg door zo'n woud te kappen? Of gaven de akela's er een plattegrondje bij, met nuttige richtingaanwijzingen? Bij het naaldbos naar rechts, omhoog tot aan de jungle, dan via de lianen over het laagplateau naar het centrum van de riviermond.

De jarige vrouw accepteerde de naakte jeugdfoto van haar roedel uitbundige vriendinnen blij, maar hoofdschuddend.

'O meisjes, dat scháámháár!' riep ze, implicerend dat zij en haar vriendinnen hun kruidenbuiltjes tegenwoordig heel anders coifferen.

Ontboezeming

Terwijl heel Nederland alweer werkt, duren de Utrechtse schoolvakanties dankzij de zomerspreiding zo'n beetje tot november. En ik wil er niet over huilen, maar volgens mij is de augustusmaand kouder en natter dan die heerlijke zonovergoten julimaand. Het regent hier in Normandië al dagen, en omdat we alle bezienswaardigheden in de buurt inmiddels acht keer hebben bezocht, installeerde ik de kinderen vanmorgen op de bank met een tekenfilm. Zonder verwachtingen keek ik even mee. Ik kan me niet heugen wanneer ik voor het laatst een tekenfilm heb gezien, laat staan een van Walt Disney. Anderhalf uur later was de film afgelopen en wist ik dat ik de rangorde van mijn favoriete films opnieuw zal moeten bepalen.

Ratatouille gaat over Remy, een Franse rat met een bijzonder ontwikkeld talent voor gastronomie, die zich aan zijn milieu weet te ontworstelen om leiding te geven aan de keukenbrigade van het sterrenrestaurant van zijn inmiddels overleden idool. Als ik deze logline van tevoren had gelezen, zou ik zeker niet naar de film hebben gekeken.

Wetenschappers voeren al jaren een felle onderlinge strijd over de vraag of dieren überhaupt kunnen denken, dan wel bewuste gevoelens kunnen hebben. Volgens de ene geleerde zijn dieren niet meer dan onbewuste gevoelloze chemische robots, volgens de andere kunnen dieren wel degelijk denken, bijvoorbeeld met behulp van een speciaal geëvolueerde mentale taal (door de Utrechtse professor Wim van de Grind het 'mentalees' genoemd).

Dit klinkt prachtig, maar één ding is zeker: ratten kunnen niet koken, praten, aanbidden, leiding geven of zich ontworstelen aan hun milieu. Dankzij een overdosis verantwoorde sprookjes en fabels in mijn jeugd heb ik een levensbedreigende allergie voor antropomorfistische beestjes, pratende leeuwen, schoolgaande vissen of dansende pinguïns. Althans, dat dacht ik. *Ratatouille* is de uitzondering.

Sta me toe te ontboezemen (als u de film nog wilt zien: haak nu af). Het hoogtepunt van de briljante film is een bezoek van de restaurantcriticus Anton Ego, een lijkbleke graatmagere frik, die koks het liefst met een van haat vervulde gretigheid afbreekt. Hij proeft de ratatouille die het ratje Remy voor hem heeft bereid, en voor het eerst sinds jaren verschijnt er kleur op zijn gezicht. In zijn bespreking verwoordt hij een diep inzicht. De baan van een recensent is eenvoudig, zegt hij, critici riskeren weinig en genieten toch een positie boven degenen die hun werk en zichzelf aan hun oordeel onderwerpen. Ze trekken graag fel van leer, want dat schrijft en leest lekker weg. Maar de waarheid is, volgens Ego, dat iets schijnbaar onbeduidends van veel grotere betekenis kan zijn dan onze kritische blik kan bevatten. Er zijn momenten dat een recensent risico's moet durven nemen. Dat is wanneer hij iets nieuws ontdekt en de drang voelt dit te verdedigen. 'De wereld is vaak onaardig voor nieuw talent, nieuwe creaties,' schrijft Ego. 'Het nieuwe heeft vrienden nodig. Gisteravond ervoer ik iets nieuws: een buitengewoon gerecht uit een bijzonder onverwachte hoek. Zeggen dat zowel het gerecht als de kok mijn mening over kookkunst heeft veranderd is een zwaar understatement. Ze hebben mij veranderd.'

De mentalese voice-over van Remy voegt hier nog aan toe: 'Het enige voorspelbare van het leven is zijn onvoorspelbaarheid.' En dan is de film afgelopen. Mijn kinderen — opgetogen dat pappa ook eens een tekenfilm met hen had bekeken — keken mij bij de aftiteling verwachtingsvol aan. Mijn zoon stelde verbaasd vast: 'Hè?! Zit je nou te janken?' En mijn dochter riep verraderlijk: 'Mamma! Pappa zit te huilen om een teken-film!' Ik kon het niet ontkennen. Volgens mij is het hoog tijd dat de scholen weer beginnen.

Telegraaf

Gisteren vroeg ik me af of de gemiddelde augustusmaand kouder en natter is dan die heerlijke zonovergoten julimaand. Ik ben benieuwd of Diana Woei van Weathernews in Soest, de weerkundige dienst van de Wereldomroep, dit ook vindt, want dan kunnen we er gevoeglijk van uitgaan dat het niet waar is. Als 's ochtends overal in Europa vakantiegangers in bange afwachting afstemmen op de Wereldomroep, krijgen ze niet meteen te horen wat de weersvoorspellingen zijn. Eerst mogen luisteraars 'de weervraag van de dag' stellen, meestal over nevelwolken, hogedrukgebieden of het noorderlicht. Vorige week had een toerist in Noorwegen een wel heel pregnante vraag. 'Waarom zitten jullie er áltijd naast?' vroeg hij aan de weerkundige van dienst, die even stil was en toen geschrokken antwoordde dat de voorspellingen vaak wel degelijk kloppen, maar niet per definitie op alle plekken in het voorspelde gebied. O, is dát het?

Eergisteren brak de antenne van onze wereldontvanger af. Ik heb alles geprobeerd om het ding opnieuw te bevestigen, maar het enige wat we binnenkrijgen is een intergalactisch gehijg. We zijn onze levenslijn met Nederland kwijt, en daarom heb ik vanmorgen hier in de buurt een *Telegraaf* gekocht, samen met een *Herald Tribune* om boven op *De Telegraaf* te leggen (als in die grap in een film van Woody Allen, waarin Woody in een tijdschriftenhandel besmuikt een pornoblaadje koopt en daar een dikke stapel verantwoorde lectuur als *The Washington Post* en *The New Yorker* op legt; de verkoopster rekent de stapel plichtmatig af maar van het vieze blaadje weet ze de prijs niet, waarna ze door de winkel schalt: *'Harry! How much is this copy of* Orgasm?*'*).

Mijn vader is al twee jaar dood, maar toch voel ik me nog steeds bezwaard als ik in een winkel met een *Telegraaf* in mijn handen sta (of in mijn vaders woorden: 'de Krant van Wakker Maar Helaas Niet Meer Door De Duitsers Bezet Nederland'). 'Een van de redenen waarom ik niet naar het buitenland op vakantie wil,' zei mijn vader soms, 'is dat ik geen zin heb om een *Telegraaf* te moeten lezen. Ik ben toch geen masochist?'

Mijn vader had iets weg van een personage van de vroegere *Vrij Nederland*-tekenaar Jaap Vegter, dat begon te schuimbekken zodra het ging over kranten die in de Tweede Wereldoorlog medeverantwoordelijk waren voor het afvoeren van mensen, maar die na de oorlog doodleuk hun achteruitstrevende praatjes weer gingen verspreiden. Ik noem mezelf weleens een twee-degeneratiepolarisatieslachtoffer. Niet alleen *De Telegraaf* was bij ons een verboden krant, ook de TROS was een omroep non grata. Mijn vader, een volwassen man, kreeg adertjes in zijn ogen als ergens de beeltenis van Wim Bosboom opdook, de presentator die van mijn vader steevast het epitheton 'verrader' kreeg toegevoegd, omdat hij het had gewaagd van de VARA naar de grootste familie van Nederland over te stappen.

Het moet gezegd: dankzij *De Telegraaf* was Nederland vanmorgen een stuk dichterbij. Op de voorpagina viel mijn oog meteen op het schokkende bericht 'Schrijver is overspannen', maar dit ging niet over Mulisch, Kluun of AFT, maar over Loretta, die een burn-out heeft. Verder op de voorpagina de aankondiging 'Stop de milieu-MAFFIA', een special in het katern VROUW getiteld 'Mijn man is PEDO!' en een foto van een boos kijkende Duitse herder en met de kop 'SuperHOND aan het front' (mijn vader draait zich om in zijn urn). En een weersvoorspelling van Weathernews: af en toe zon, maar ook nu en dan een enkele bui, al geldt dit — weten we inmiddels — niet voor alle plekken in het voorspelde gebied.

Furor brittannorum

Een jaar of vijftien geleden werkte een vriend van mij voor TMFKANR (The Magazine Formerly Known As *Nieuwe Revu*). Een van zijn eerste opdrachten was een artikel over het fascinerende onderwerp 'seks in de tent', over de gedegenereerde uitspattingen van de vakantievierende jeugd. Eenzaam had hij op een beruchte jongerencamping in Renesse in zijn zielige tentje liggen wachten tot het onderwerp zich bij hem aandiende, maar helaas hoefde hij niet als participerend journalist aan de slag. Met een paar gewiekste bikinifoto's en wat citaatjes van de zatlappen ter plaatse was het artikel ook zonder zijn deelname aan het feest zo gevuld. Het jaar daarop moest mijn vriend op een beruchte jongerencamping in Ameland een reportage maken over het al even fascinerende onderwerp 'seks op het strand', wederom een luguber sfeerbeeld van verdorven losgeslagen jongeren die zonder remming hun geile lusten op elkaar botvieren. De jaren daarop volgden er artikelen genaamd 'seks op vakantie', 'seks op de camping' en 'strand, drank en seks' — en ik neem aan dat er ook in de huidige *Revu* nog steeds reportages staan over de losbandigheid van jeugdige vakantiegangers. Dat hoort tot de corebusiness van kappersbladen.

Daarom was ik verbaasd dat een gezaghebbend instituut als *The International Herald Tribune* deze week op de voorpagina ook een schrikbarend artikel had over Britse toeristen die van hun vakantie '*a misbehavior fest*' maken, een feest van wangedrag. Een stuk dat ik overigens niet heb kunnen lezen zonder het af en toe gillend van de lach weg te leggen. Engelsen lijken genetisch geprogrammeerd om zich één stap buiten hun landsgrenzen over te geven aan drinkgelagen en seksuele uitspattingen, om vervolgens strontlazarus, amechtig kotsend en zichzelf bevlekkend in een goot te eindigen. De lokale autoriteiten zijn het zat! Of zoals de burgemeester van Malia, het Renesse van Griekenland, Konstantinos Lagoudakis, het samenvat: 'They scream, they sing, they fall down, they take their clothes off, they cross-dress, they vomit.'

De beschrijvingen van de *Herald Tribune* over deze uitspattingen zijn zo meelevend, dat het bijna jammer is dat je de verwildering niet met eigen ogen kunt aanschouwen. Deze zomer probeerde een dronken Engelse vrouw op de terugweg van het eiland Kos op 9 kilometer hoogte de nooduitgang van haar vliegtuig te openen 'omdat ze behoefte had aan wat frisse lucht'. Een Brits koppel werd gearresteerd, niet omdat ze seks hadden op het strand, maar omdat ze tijdens hun daad een langslopende politieagent verrot scholden. Een twintigjarige Engelse toeriste beviel na een avondje doorzuipen in het centrum van Malia van een baby, waarna ze in slaap viel. En op het eiland Zakinthos werden meerdere Britse vrouwen gearresteerd omdat ze volgens geschrokken plaatselijke gezagsdragers hadden deelgenomen aan 'an alfresco oral sex contest' (waarbij alfresco niet duidt op iets schilderachtigs, maar op iets wat zich in de openlucht afspeelt).

Nee, dan de toeristen in onze Normandische omgeving. Die kwamen met grote dikbuikige boten, omdat ze ook even behoefte hadden aan wat frisse lucht. De lokale autoriteiten konden niets doen tegen deze invasie. Ze trokken kerken binnen en stalen de goudbestikte kleren van priesters, en gebruikten hun kromstaven als wandelstok. Uit angst voor aanrandingen verminkten vele plaatselijke vrouwen hun gezicht, maar dit mocht niet baten. De schare Zweedse toeristen droeg de hoofden van door hen verkrachte vrouwen triomfantelijk aan hun riem. Anderen van de losgeslagen wilden hadden zuigelingen aan hun speer gespietst en probeerden daarmee de plaatselijke gezagsdragers te treiteren. Hun vakantie ging de geschiedenis in als de *furor normannorum*, de schrik van de Vikingen. Hiermee vergeleken is de *furor brittannorum* zo rauw nog niet.

De grote brand

Wat deed u op 13 mei 2008? Die dag verwoestte een felle brand een gebouw van de faculteit Bouwkunde van de Technische Universiteit in Delft. Het was de tweede keer sinds 10 juli 1584 dat er weer eens wat groots gebeurde in de Zuid-Hollandse stad. Dit keer was het geen Franse fanaticus die een geïmporteerde carrièreprins elimineerde, of een autodidactische onderzoeker die als eerste mens op aarde rare visjes met staartjes zag in menselijk ejaculaat, maar een koffiezetapparaat dat kortsluiting veroorzaakte door toedoen van een geknapte waterleiding. Het toeval wilde dat Martin Bril, Bart Chabot en ik die dag moesten optreden in Theater de Veste, aan de rand van de historische binnenstad.

13 mei jongstleden was een heerlijk warme dag (de voorzomers zijn tegenwoordig aangenamer dan de herfstbuien in augustus, misschien dat de vakantiespreidingscommissie daar eens rekening mee kan houden). Om de dagelijkse files voor te zijn vertrok ik vroeg in de middag richting het theater. In de buurt van Bodegraven was vanaf de A12 een zwarte rookpluim aan de einder zichtbaar. Dit gaf me vreemd genoeg een ouderwets Hollandsch gevoel. Daar, in de verte, stond Delft in brand, net als bijvoorbeeld was gebeurd in 1536, toen een groot deel van de stad werd verwoest. Hoe lang zou het in die jaren hebben geduurd voor ze in Gouda hoorden dat het om Delft ging en niet om Vlaardingen of Rotterdam? In onze huidige tijd kon ik de brand live volgen op twee radiostations. Er was niemand gewond geraakt. Veel studenten waren bouwkundige werkstukken kwijtgeraakt in de vuurzee. Een studentenflat

werd ontruimd. Er was instortingsgevaar, omdat de brand het hevigst was op het punt waar de draagconstructie zat (dat laatste klonk heel Delfts).

Na aankomst in de stad maakte ik een wandeling over de grachten. Aan het einde van de Oude Delft doemde de rookpluim van de brand op, en dat gaf een behoorlijk 9/11-gevoel, al leek de jeugdige bevolking van de stad zich hier weinig van aan te trekken. De terrassen zaten vol, het bier stroomde, Delft maakte zich op voor een kolkende zomer. Later die avond keken we in de artiestenfoyer naar de nieuwsbulletins. Dit was vlak voor het laatste reguliere optreden van *De Grote Liefde*, ons tweede theaterprogramma (we waren nog ongewis van het feit dat de reprise vanwege Brils lichamelijke ongemak zou worden afgelast). Mijn herinnering kan me bedriegen, maar volgens mij zagen we beelden dat het gebouw van de faculteit definitief instortte. 'Het zou verboden moeten worden dat de symboliek je zo in de schoot wordt geworpen,' riep Chabot.

Een Japans spreekwoord luidt: we ontbijten op de puinhopen van de aardbevingen van gisteren. 472 jaar na de brand die de stad grotendeels verwoestte mogen we stellen dat Delft de gevolgen van deze klap te boven is gekomen. Ook de Oranjes hebben na de brute actie van Balthasar Gerards niet hun biezen gepakt en werpen nog steeds trouw om de zoveel jaar een nieuw soeverein staatshoofd. Het instorten van de faculteit Bouwkunde is misschien ook zo slecht nog niet geweest. Vandaag vindt in Delft de opening van het academisch jaar plaats. Dat doen ze er in tegenstelling tot andere universiteiten niet met chique toespraken voor ministeriële hotemetoten, maar met een vrolijke happening voor studenten. 'Er waait een nieuwe energie door de gangen en iedereen die het voelt,' zei een medewerker toen ik het complex een tijdje terug bezocht. 'Op de puinhopen van 13 mei gaat een nieuw gebouw herrijzen, als een feniks.' Chabot had gelijk. Het zou verboden moeten worden dat symboliek zich zo opdringt.

Seizoensgids

In Texas ben je al een behoorlijke homo, volgens de Amerikaanse schrijver Kinky Friedman, als je meer van vrouwen houdt dan van American Football. Afgelopen weekend kwam ik met mijn gezin terug uit het moessongebied Normandië. Tijdens de autorit hadden we besproken wat we tijdens de vakantie het meest hadden gemist, behalve zonlicht. Voor mijn dochter was dat school en haar vriendinnen, mijn zoon miste zijn draken, mijn vrouw ons huis en ik *Studio Voetbal*. 'O ja, voetbal heb ik ook enorm gemist,' zei mijn vrouw, waarbij ze het woord 'voetbal' uitsprak alsof ze voor onze voordeur het kadaver van een middelgrote hond zag liggen.

Zondagmiddag, tijdens *Langs de Lijn*, stortte ik me op mijn jaarlijkse ritueel: het bestuderen van de Seizoensgids van *Voetbal International*. Ieder jaar lees ik die 372 pagina's van cover tot eind, of laat ik niet overdrijven: van de cover tot waar de informatie over de eerste divisie begint. Van huis uit ben ik Feyenoorder; ieder jaar heb ik het even onverwoestbare als domme vertrouwen dat de Rotterdammers dit jaar eindelijk weer eens zullen schitteren, maar meestal heb ik na een stuk of drie speelrondes al afgehaakt. Ik heb in mijn omgeving een paar neuraalgedepriveerde voetbalkenners die alle wedstrijden die er ooit op aarde zijn gespeeld uit hun hoofd kennen, en om een beetje met ze te kunnen communiceren verdiep ik me bij iedere seizoensstart in hun belevingswereld.

Zo'n Seizoensgids is de natte droom van iedere autist: statistieken, records, feiten, trivia en bovenal de namen en foto's van alle spelers. Er is een wet in het internationale voetbal die stelt: hoe meer medeklinkers de naam van een voetballer telt, hoe goedkoper zijn transferprijs. Het lijkt of de inkoopafdelingen van de Nederlandse clubs ook dit jaar weer gretig hebben ingekocht bij wingewesten, rampgebieden en Sahellanden. Hoe ging het er tijdens de scoutingvergaderingen aan toe? 'Vitesse heeft net Haim Megrelishvili gekocht...' 'Dan slaan wij terug met Kennedy Bakircioglü!' 'Wacht, ik heb hier nog videobeelden van Balázs Dzsudzsák.'

Sommige namen lezen als poëzie. Wie weleens bij Poetry International is geweest weet dat het lijkt of de ingevlogen dichters declameren uit de Seizoensgids van het betaalde voetbal. Lees de volgende enumeratie langzaam luidop voor: Ayodele Adeleye, Abubakari Yakubu, Darío Cvitanich, Tarik Elyounoussi, Jeanvion Yulu-Matondo, Miralem Sulejmani, Sherif Ekramy, Niklas Tarvajärvi, Csaba Horváth, Oluwafemi Ajilore, Radoslaw Matusiak, Cor Varkevisser, Kwame Quansah, Fouad Idabdelhay, Saidi Ntibazonkiza, Przemyslaw Tyton, Melvin Platje, Tommie van der Leegte.

Soms lijken namen betekenis te dragen. Een door Feyenoord van Supersport United gekochte Zuid-Afrikaanse aanvaller heet Erasmus, een mooie Rotterdamse *speaking name* die natuurlijk moet afstralen op de drager (zijn voornaam, Kermit, kan hij gelet op hooliganhumor maar beter niet gebruiken). Ook andere namen spreken voor zich. Wat moet het mooi zijn als Hiariej scoort, Holla een spurtje trekt of Beukert de bal in de linkerbovenhoek poeiert.

Voer voor sociologen en geschiedkundigen: hoe Nederland is veranderd in de afgelopen decennia. Dit zijn voornamen van Nederlandse spelers: Rydell, Qays, Rifat, Serder, Donavan, Gerson, Soufian, Shkodran, Vurnon, Vergillio, Edson, Romano, Ekrem, Mounier, Hursut, Jeremain, Resit, Andwélé, Gioginio, Purrel, Cerezo, Agil.

Ik was diep verzonken in deze materie toen ik Govert ten

Brakel afgelopen zondag hoorde zeggen: 'Het gaat er somber uitzien voor de Rotterdammers, Ronald.' Met mijn solipsistische persoonlijkheidsstoornis dacht ik even dat hij het tegen mij had en niet tegen reporter Ronald van der Geer. 'Somber' sloeg op de stand: een 3–1 vernedering. Zuchtend legde ik mijn gids weg. Voor mij is het seizoen alweer zo'n beetje afgelopen, vrees ik. Maar goed, ik ben volgens Texaanse begrippen dan ook eigenlijk homo.

Poepewitte zuurkool

Eergisteren kreeg ik van een restauranthouder een uitnodiging voor een bezoek aan 'de zuurkoolfabriek van de zuurkoolfamilie Kramer in Langedijk'. Bij het woord zuurkoolfabriek had ik al ingestemd met het voorstel en bij het woord zuurkoolfamilie begon mijn enthousiasme bijna te schuimen. Zuurkoolfamilie... zo'n woord had ik het liefst zelf verzonnen. Misschien is het beroepsdeformatie, maar meteen zie ik bij zo'n omschrijving een Gabriel García Márquez-achtige familiekroniek voor me, met zuurkoolstamvaders, vele zuurkoolgeneraties, zuurkoolintriges, zuurkoolvetes, concurrerende zuurkoolzijtakken en ingewikkelde zuurkoolfamiliebanden.

De zuurkoolfabriek Kramer — eerlijk gezegd heb ik er nooit bij stilgestaan dat zuurkool daadwerkelijk moet worden gefabriceerd — staat midden in het dorp Zuid-Scharwoude in het waterrijke West-Friesland. Dit gebied is wat Johannes van Dam de koolschuur van Europa noemt: hier verbouwen de boeren miljoenen kolen voor onze buurlanden. Buiten de fabriek hing de frisse lichtzoete geur van kool. Bij de ingang zag ik een bord 'prutlaarzen uittrekken' en eigenlijk was mijn tocht naar dit buitengebied toen al geslaagd, want ik kom nooit ergens waar ik mijn prutlaarzen moet uittrekken. In de fabriek hing een energieke sfeer, er was veel bedrijvigheid; tractoren en vrachtwagens met enorme kolen reden af en aan.

'Dat is omdat de campagne net is begonnen,' legde een man uit die zich voorstelde als Kramer, een vierdegeneratiezuurkoler (samen met zijn broer Kramer runt hij het bedrijf). Nu is campagne een woord dat is besmet door het retorische lawaai van politici, maar in feite slaat het op de periode waarin een seizoensbedrijf er vol tegenaan moet. Vanaf begin augustus tot de kerstdagen wordt in dit bedrijf twintig miljoen kilo witte kool omgezet tot twaalf miljoen kilo zuurkool (dat zijn dertigduizend kolen per dag). In mijn laagschedelige onschuld dacht ik dat zuurkool in het zuur gelegde kool was, maar dit was van een onwetendheid die de Kramers minzaam deed glimlachen. Zuurkool ontstaat door een luchtdicht rottings- proces waarbij met behulp van zout en melkzuurbacteriën witte kool in twee tot acht weken wordt omgezet in de licht- verteerbare, vitaminerijke groente die ooit populair werd on- der zeevaarders omdat zij scheurbuik hielp voorkomen (zoals de Engelse ontdekkingsreiziger James Cook ontdekte). Er gaat een verhaal over het ontstaan van zuurkool, maar het staat niet in *De dikke Van Dam* en misschien is het dus geromanti- seerde onzin. Tartaren zouden in vroeger eeuwen tijdens hun veldtochten gesneden kolen hebben meegenomen in hun za- deltassen. Het zout van hun zweet zou door het leer van hun zadels in de kool zijn gekomen en zo het fermentatieproces op gang hebben gebracht. Een schipper genaamd Kramer sneed in 1890 zijn kolen nog met de hand en maakte zuurkool in houten vaten, tegenwoordig gebruiken zijn achterkleinzonen betonnen bakken waarin je ook zou kunnen schoonspringen.

En het scheelt in welke maand de zuurkool wordt gemaakt, legde een van de Kramers uit, want zuurkool is geen inwissel- baar product, zoals ik in mijn argeloze domheid dacht. Iedere zuurkool heeft een unieke smaak. Koolsoort, grondsoort, om- gevingswarmte: alle factoren zijn belangrijk. Vergelijk zuur- kool maken met het produceren van wijn of het distilleren van whisky. En zoals wijn de beaujolais primeur kent, hebben de Kramers de primeurzuurkool, de eerste gegiste kool van de campagne. Deze zuurkool is gemaakt van zogenaamde poe- pewitten, weer zo'n woord dat ik zelf had willen verzinnen.

Poepewitten zijn de eerste kolen die in augustus van het land komen. Na afloop van het bezoek aan de fabriek hieven we het glas op de eerste poepewitte zuurkool van het jaar. Ik hief monter mee, onwetend van het feit dat zuurkool en champagne van oudsher een klassieke combinatie vormen. Maar zo is er wel meer dat ik niet weet.

Kinderkrabbels

Afgelopen maandag berichtte *de Volkskrant* over het voornemen van Reclassering Nederland om veroordeelde pedofielen na hun terugkeer in de maatschappij op te nemen in een sociaal netwerk. Deze methode is beproefd in landen als Canada en Engeland en zou bij zedendelinquenten de kans op recidive met 75 procent verminderen. Na bekendwording van dit nieuws stak er een storm van protest op, waarbij de roep om chemische castratie nog een van de mildere uitingen was. Ik heb nu een paar dagen getwijfeld of ik dit stuk zou schrijven, want pedofilie is niet bepaald een sexy onderwerp en echt humorvol kun je het ook niet noemen.

Mijn bijdrage aan de discussie speelt zich meer dan dertig jaar geleden af. Mijn toenmalige woonplaats Dordrecht kende een huis-aan-huisblad genaamd *Merwesteijn* met daarin een speciale kinderpagina, omineus genaamd 'kinderkrabbels'. Een half jaar heb ik voor deze pagina een zogenaamde kindercolumn geschreven. Kinderen die lid waren van de kinderredactie kregen speciale kinderperskaarten en mochten de pagina geheel zelf vullen. Althans: onder leiding van een volwassen vrijwilliger, een harige spijkerpakdrager genaamd oom T. Ik gebruik hier een initiaal, omdat oom T. een veroordeelde pederast was die na zijn gevangenisstraf probleemloos weer als begeleider van kinderen aan de slag mocht. Inmiddels vind ik volwassen mannen die zich in hun vrije tijd op wat voor manier dan ook bezighouden met kinderen op voorhand verdacht. Voetbaltrainers, scoutleiders, zwemleraren, sinterklazen: allemaal moeten ze extra in de gaten worden gehouden. Dertig jaar geleden dacht men daar anders over en was er niemand die even de moeite had genomen om oom T.'s doopceel te lichten.

Ik herinner me een redactievergadering bij oom T. thuis. Het is meer dan dertig jaar geleden, dus wat er precies gebeurde is weggezakt in het moeras van mijn geheugen. Ik geloof dat oom T. ons voorstelde een artikel te schrijven over hypnose en dat hij de gordijnen sloot om aan een deel van de redactie — een stuk of vijf elfjarige kinderkrabbelaartjes — te laten zien hoe hypnose precies zou werken. Dit leidde tot ontuchtige handelingen, gevolgd door het doortrapte dreigement dat onze ouders naar de gevangenis zouden gaan als we hun van oom T.'s gekrabbel zouden vertellen. Ik was onder de indruk van dit dreigement, maar een klasgenoot en mederedacteur heeft een paar weken daarop toch alles opgebiecht. Schuimbekkend van woede zochten zijn ouders contact met die van mij. De vader van mijn klasgenoot wilde volkomen begrijpelijk oom T. met een loden pijp te lijf. Althans, dat heb ik later begrepen, toen ik — inmiddels volwassen en zelf vader — met mijn ouders besprak hoe de dingen indertijd precies waren gegaan. Mijn ouders hebben in hun wanhoop een bevriende psycholoog gevraagd hoe ze het best konden reageren. 'Het allerbelangrijkst is dat jullie je boosheid op geen enkel moment in het bijzijn van de kinderen ventileren,' gaf deze man als advies. 'De jongens mogen nooit het idee krijgen dat zij iets verkeerds hebben gedaan. Probeer hun uit te leggen dat oom T. ziek is in zijn hoofd en dat hij het slachtoffer is.'

Voor dat laatste moet je sterk in je schoenen staan. Hoewel ik later hoorde dat mijn vader destijds in zijn hobbykamer getergd een biljartkeu aan diggels heeft geslagen, heb ik nooit iets van woede bij mijn ouders gemerkt. Kalm, liefdevol en bijna op het vrolijk laconieke af zijn ze met de affaire omgegaan, en ik ben ervan overtuigd dat deze houding ervoor heeft gezorgd dat het voor mij op geen enkele manier traumatisch is geweest. Sterker nog: ik hoop dat ik zo zal kunnen reageren, mocht mijn kinderen iets dergelijks overkomen.

Zen en de onmacht

In een documentaire van de VPRO hoorde ik eens de acteur Nicolas Cage zeggen, op de vraag wat hij van een Oscarnominatie vond: 'I'm trying to be a little bit Zen about it.' Een mooi bescheiden antwoord, dat helaas nogal hilarisch overkwam omdat hij het in de aanloop naar de Oscaruitreiking ongeveer vijftig keer gebruikte, tegen alle mogelijke tv-ploegen en interviewers. De zin 'I'm trying to be a little bit Zen about it' is sindsdien een van mijn standaarduitdrukkingen in situaties waarin ik diep van binnen het liefst zou willen toegeven aan oerinstincten.

Afgelopen vrijdag was ik in een KPN-winkel om een kapotte mobiele telefoon om te ruilen voor een nieuw exemplaar. Er was een aardige medewerker, Kleine Michael, die werd bijgestaan door een al even vriendelijke collega, genaamd Grote Michael. Kleine en Grote Michael waren meer dan behulpzaam, begrijpend, inlevend, invoelend, bijna zoals echte vrienden. Ik kreeg een nieuwe telefoon, een mij onbekende zogenoemde BlackBerry, die volgens Kleine Michael een erg eenvoudige 'installatiewizard' had. 'Als je volgt wat die je vraagt, heb je hem zo geïnstalleerd,' zei hij. Helaas viel op dat moment de internetverbinding van de winkel uit, waardoor hij mijn bestelling niet kon invoeren. Er was een probleem met het systeem. 'Als u even een half uurtje kunt wachten...' vroeg Kleine Michael met een lichte gêne. Ik glimlachte vriendelijk en dacht aan Nicolas Cage.

Anderhalf uur later kwam ik thuis met mijn nieuwe toestel,

klaar om het apparaat te installeren. Ik voel niet de behoefte om hier een zo'n verongelijkte *Kassa*-achtige bijdrage van te maken ('geachte Telefoonman'), maar twee uur nadat ik de installatiewizard voor de veertiende maal had opgestart was ik behoorlijk minder *Zen about it*. Er waren allerlei onlogische technische problemen, die ik niet zal beschrijven omdat ik ze zelf ook niet begrijp. 'Voer uw nummer in en sluit af met een hekje,' was een van de opdrachten van de klantenservice, die ik, zuchtend van een opkomende boosheid, belde voor raad. Ik kreeg zowaar al na een minuut of vijf een medewerkster aan de lijn. Na een langdurige spraakverwarring vroeg ze verwijtend of ik soms een KPN-abonnement had. 'Je hebt de Hi-keuze gemaakt, je had aan het begin op 1 moeten drukken,' zei ze minachtend. Bij de tweede en een derde poging kreeg ik weer een schoolverlater aan de lijn. De laatste zei, niet zo vriendelijk: 'Heb je je nummer ingetoetst? Ja, dát moet je dus niet doen. Je moet gewoon op het hekje drukken en dán pas je keuze maken.'

De logica van een klantonvriendelijke moloch. Dit zijn momenten dat ik mijn gevoel voor relativering kwijt ben en alleen nog maar denk aan precisiebombardementen, martelwerktuigen, jeukpoeder en de afgezaagde loop van een *shotgun*. Ik besloot een poging te wagen Kleine of Grote Michael te bellen, mijn nieuwe vrienden tenslotte, maar de sacherijnige telefoniste van hun filiaal had net een driedubbele opvlieger en ik geloof dat ik haar met mijn noodvraag persoonlijk griefde. Klanthaat was haar motor, zoveel was duidelijk. Dit was het punt dat ik briesend weer in de auto stapte om toe te gaan geven aan mijn oerinstincten.

Uiteindelijk kwam Grote Michael er na een uur nadenken en bellen achter dat het probleem niet bij mij lag, maar bij 'de centrale'. Hij kondigde aan dat ze 'het systeem' opnieuw gingen opstarten en vroeg of ik nog een half uurtje kon wachten. Ik keek hem aan en voelde letterlijk de tranen wellen van onmacht. Ik had inmiddels zes uur van mijn leven verspeeld aan Helemaal Niets. Zen en zijn handlanger Nicolas Cage zouden trots op me zijn.

De tolk in mijn hoofd

Gisteren regende het pijpestelen, mijn kinderen waren te laat, er waren overlevingspakketten zoek en formulieren die vorige week ingeleverd hadden moeten worden. Wachtend bij mijn voordeur kreeg ik vanuit het niets een herinnering aan een looptocht die ik ooit ondernam met een groep medeletteren-studenten. Waarom ik 's ochtends vroeg bij mijn voordeurmat deze *blast from the past* kreeg, begreep ik eigenlijk niet. Ik keek in de gang of ik voorwerpen zag die ik kon linken aan die wandeling van Nijmegen naar Utrecht, maar kon niets bedenken.

Hoe het kan dat iets stoffelijks als het brein onstoffelijke herinneringen kan oproepen is een van de grootste mysteries. Wat ik ervan begrijp is dat in onze hersens cellen zitten die soms centimeters lange staartjes hebben, die op hun beurt kleine napjes hebben die zich vastzuigen aan andere staartjes. Deze napjes kunnen aangroeien en zich vermenigvuldigen. Als zich iets herinneringswaardigs voordoet neemt de hoeveelheid cellen, staarten en vooral napjes toe. Tenminste, dat is een van de theorieën. Er zijn — ik beroep me op wijlen Piet Vroon — zoiets als talige herinneringen en niet-talige herinneringen. Je kunt je een beeld, geur of gevoel herinneren, zonder dat de taalcentra onder je hersenpan begrijpen dat dit beeld, deze geur of dit gevoel je te binnen schieten. Gebeurt er iets in de woordloze hoeken van je hersens, dan probeert een soort tolk te vertalen waarom je voelt wat je voelt of je herinnert wat je je herinnert. Niet dat deze mentale vertaler er de ballen van snapt, maar wat hij beweert valt toch niet te controleren.

Psycholoog Ap Dijksterhuis schrijft in zijn geweldige *Het slimme onbewuste* (waarom is dát boek niet genomineerd voor de NS Publieksprijs?) dat ons bewustzijn erg weinig informatie kan verwerken, maximaal een stuk of zestig bits per seconde. Even ter verduidelijking: voor het lezen van één letter van dit stukje hebben uw hersens vijf bits nodig. Daarentegen heeft ons onderbewuste een rekenkracht van 11,2 miljoen bits per seconde. Ons gezichtsvermogen registreert onbewust zo'n beetje alles om ons heen, terwijl ons bewustzijn daar maar een piepklein gedeelte uitfiltert. Waarom verspeelde mijn bewustzijn gistermorgen in mijn gang kostbare denkkracht aan een wandeling die ik twintig jaar geleden maakte, terwijl ik ook had kunnen denken aan de Joint Strike Fighter, de banken Fannie Mae en Freddy Mac of in rokjes voetballende vrouwen? Voor mijn gevoel heb ik zeker tien jaar niet aan die looptocht gedacht, hoe kon het dan dat ik zonder duidelijke aanleiding werd teruggevoerd? Niet dat het zo'n spectaculaire reis was, integendeel, het was een brave rustige wandeling van rustige brave poëzieminnende studenten, vol van metaforen en stijlfiguren. Eind jaren tachtig, ik geloof dat ik al aan het sjezen was, vertrokken we met een m/v of twintig bepakt en bezakt van het Nijmeegse Centraal Station voor een dag-en-nachtdriedaagse langs het riviertje de Linge. Vincent Bijlo liep mee, iemand speelde gitaar en het stoeltje van mijn rugtas ging kapot, veel meer kan ik me niet herinneren. En er was de medestudent die een tip gaf die ik sindsdien in praktijk breng. Ik, ongewend aan gezeul met rugzakken, sjokte de eerste dag zo'n beetje achter aan de colonne, vermoeid, afgemat, *zum Tode betrübt*. De raad van de jongen was om in plaats van achteraan te lopen vooraan te raken. Omdat je dan zelf het tempo zet, word je minder moe, zei hij, en inmiddels weet ik dat hij gelijk had.

'Ik ga nu echt, hoor!' riep ik naar mijn kinderen, die nog steeds zochten naar hun rugtassen. Verheugd stapte ik de regen in, als eerste, monter voorop, al begreep de tolk in mijn hoofd eigenlijk niet waarom.

Bootsjunge

'In 't vieze huisje van oom Gijs, was nog geen water, licht of gas. Het rook er naar sperma en anijs, wat achteraf begrijpelijk was. Wij jongens stonden om Gijs heen... dan zat-ie aan je derde been. En daarna rukte hij zich af, spoot al zijn zaad in een karaf, en wij naar huis toe op een draf.'

In de jaren zeventig zongen Heer van Kooten en Heer de Bie dit liedje op een van hun simpelpees, en iedere rechtgeaarde ronddeveertiger kan het heden ten dage nog steeds moeiteloos meezingen. Het was een andere tijd en niemand die zich boos maakte over de inhoud van het lied, ik heb er althans nooit iemand over gehoord (ik geloof ook niet dat ik er destijds bewust naar heb geluisterd en ik vraag me af wat dit nummer eigenlijk parodieerde). Van halverwege de jaren tachtig herinner ik me een schoolagenda met puberale cartoons van Hein de Kort en Eric Schreurs. Op een tekening van de laatste zagen we een man op wiens buitenproportionele geslachtsdeel een jongetje zat te glimmen van genot. Een meisje stond er vrolijk springend naast, roepend: 'Nu ik! Nu ik!' De man keek vermoeid en somber naar de kijker, verzuchtend: 'Pedofilie? Me reet. Je zou ze eens moeten horen als ik het een keertje oversla!' Ik heb het vermoeden dat deze grap tegenwoordig niet goed zou vallen op de fora van het gezonde geenstijlse volksgevoel. Dan was Hans Teeuwens pedo-erotische act, in 2004, over een lieve kleine stoute *Bootsjunge* die door een kapitein genaamd Günter Schneider in zwoel Duits werd toegesproken, een stuk onschuldiger.

In de eerdere bijdrage 'Kinderkrabbels' schreef ik over mannen die zich in hun vrije tijd vrijwillig met vreemde kinderen bezighouden. Ik kreeg veel reacties op dit stukje. Iemand herinnerde mij aan een gebeurtenis van een jaar of zes geleden. Met ons gezin waren we lid van de Utrechtse ouderparticipatiecrèche De Krakeling, een kinderdagverblijf waar de ouders zelf alles regelen en om de beurt oppasdiensten draaien. Het voordeel van deze vorm van kinderopvang is dat ouders goed zicht houden op de ontwikkeling van hun kinderen en dat de kosten beperkt blijven. Hoewel ouderparticipatiecrèches draaien zonder betaalde krachten, kunnen de ouders wel worden bijgestaan door vrijwilligers, vaak meisjes uit de buurt of moeders van uitgevlogen kinderen.

Ik heb in onze jaren tijdens algemene vergaderingen felle discussies meegemaakt of onbekende mannen zich ook konden aanmelden als vrijwilliger. Er vielen harde woorden als 'discriminatie' en 'ongeoorloofde argwaan jegens een van de seksen'. Mannen houden heus ook van kinderen, werd er geroepen. Tijdens een van de emotionele vechtvergaderingen is er met een kleine meerderheid besloten om mannen als vrijwilliger toe te laten. Columnist Jerry Goossens van het *Algemeen Dagblad*, die zijn kinderen ook naar De Krakeling bracht, heeft in zijn krant nog zeer smakelijk geschreven over de sollicitatiegesprekken die met de potentiële mannelijke vrijwilligers werden gevoerd. De schatten van kerels die zich hadden aangemeld liepen allemaal over van liefde voor het jonge grut. Op de vraag waarom ze graag vrijwilliger op een crèche wilden zijn, antwoordde een van hen dat hij vooral gefascineerd was 'in de seksuele ontwikkeling van kinderen'. Dat was heel openhartig van hem, maar het verhoogde de kans dat hij zou worden aangenomen niet bepaald. Een andere potentiële vrijwilliger vertelde dat hij 'kind met de kinderen wilde zijn' en in principe niets had tegen 'leeftijdasymmetrische relaties' (mag u zelf bedenken wat leeftijdasymmetrische

relaties betekent). Na een paar ome Gijzen, Günter Schnei-
ders en puisterige personages van Eric Schreurs besloot De
Krakeling uit voorzorg om de katers toch maar niet vrijwillig
op de koters los te laten.

Tot op het bot verraden

Dit speelde zich gistermorgen af, in een rechtszaal van het Haagse Paleis van Justitie. Hasan Nuhanovic, een lange veertiger, maakte een gespannen indruk. De voormalige VN-tolk heeft zes jaar geleden een zaak aangespannen tegen de Nederlandse staat, samen met de familie van een vermoorde Bosnische Dutchbat-elektricien. Hasan en deze familie houden Nederland medeaansprakelijk voor de dood van hun verwanten. In het geval van Hasan gaat dit om zijn ouders en zijn jongere broer. Hasans vader, Ibro, had namens de Bosniërs met Dutchbat-commandant Karremans deelgenomen aan gesprekken met generaal Mladic, en daarom had hij van Dutchbat een vrijgeleide gekregen toen de evacuatie van de duizenden moslimmannen begon (11 juli 1995). Dutchbat weigerde echter om ook zijn vrouw en zijn andere zoon te beschermen. Dat was namelijk tegen de regels zoals die werden geïnterpreteerd door de Nederlanders. En dus werd Ibro gedwongen tot de keuze: zelf overleven of sterven met vrouw en jongste zoon. Hij koos voor het laatste. Zijn lichaam is inmiddels in een massagraf gevonden, dat van zijn vrouw en zoon nog niet.

Het verhaal van elektricien Rizo Mustafic is al even schrijnend. Rizo stond op een lijst van lokaal Bosnisch personeel dat gegarandeerd door Dutchbat zou worden beschermd. Een Nederlandse personeelsfunctionaris wist dit waarschijnlijk niet en stuurde hem van de compound, samen met zijn vrouw en drie kinderen. Rizo had gered kunnen worden. De Nederlandse commandant Franken noemde dat later 'een enorme stommiteit'. Gevalletje 'Even Apeldoorn bellen'. Feit is dat Dutchbat er niet 'alles aan heeft gedaan om zo veel mogelijk mensen bescherming te bieden', zoals vaak wordt beweerd. Als ze dat wel hadden gedaan, waren deze mannen en hun families gered.

De rechtszaak hierover kreeg deze zomer een vreemde wending toen volslagen onverwachts twee van de drie rechters werden vervangen (en in belachelijk korte tijd de vervangende rechters het tienduizend pagina's tellende dossier moesten lezen). Dit is hoogst ongebruikelijk. Naar aanleiding van een bericht van NRC *Handelsblad*-journalist Cees Banning vroegen SP en VVD de minister om opheldering, maar deze antwoordde dat hij zich niet kon bemoeien met zaken van het parket. De reden van de vervanging is op z'n minst schimmig: een rechter ging min of meer met pensioen en een andere was elders gewenst. Een van hen heeft tijdens een van de zittingen uitgehaald naar de landsadvocaat, waarbij hij liet doorschemeren dat de klachten van de eisers weleens gegrond zouden kunnen worden verklaard. Dit zou voor Nederland internationaal een enorm gezichtsverlies zijn.

En nu gaat er een gerucht. Er is geen smoking gun, klokkenluider of *deep throat*, en toch ging het gerucht gisteren als een veenbrand door de rechtszaal.

'Waarom publiceer je dit gerucht niet?' vroeg ik aan een journaliste, maar zij noemde het een journalistieke brug te ver om zonder bewijs op geruchten in te gaan. Nu ben ik reservecolumnist en de bandbreedte van mijn vrijheid is veel groter. Volgens 'het gerucht' zou er in deze zaak vanuit het ministerie sprake zijn geweest van verregaande beïnvloeding van de rechtsgang. Ik vroeg een insider hoe zoiets in zijn werk zou moeten gaan, want je kunt je toch niet voorstellen dat zoiets in Nederland mogelijk is. 'Och,' zei de man, 'iemand op een bepaald niveau zegt tegen iemand anders op een bepaald niveau: zeg, die rechter puntje punt... is die niet zo langzamerhand aan zijn pensioen toe?'

Het is niet te bewijzen, en wellicht is het ook niet waar. Feit is dat de rechter gisteren alle verantwoordelijkheid zonder pardon venijnig afschoof op de Verenigde Naties. Voor de nabestaanden is dit een kafkaiaans drama, want de VN kunnen ze niet aanklagen. En zo voelen ze zich wederom door Nederland tot op het bot verraden.

Kicks voor niks

Eerder schreef ik over de 'kicks voor niks' van het Simplistisch Verbond. Die komen uit de *Bescheurkalender* van 1982 en bestaan uit een serie fototips voor een spannender beleving van dagelijkse dingen, zonder dat dit iets hoeft te kosten. De eerste kick voor niks was de wenk om 'lege sinaasappelen te stapelen'. Via 'met de kin het licht aandoen', 'aluminiumfolie knippen', 'schone beddelakens doen parachuteren' en 'een pak oude kranten doen neerploffen', kwamen Van Kooten en De Bie bij de weergaloze kick voor niks 'de sliert tissues net zo lang uit de doos blijven trekken tot hij vanzelf scheurt'. Wie zou daar ook nu nog geen simplistische kick van krijgen?

Jaren later is er een bescheiden cultus om het begrip 'kicks voor niks' ontstaan. Er is een hyvespagina waar leden hun eigen kicks kunnen melden. Iemand houdt ervan om zich op te houden onder het bord 'VERBODEN ZICH HIER OP TE HOUDEN ZONDER REDELIJK DOEL — APV Utrecht, art. 41'. Iemand rolt een mandarijn in zijn hand tot hij een vriendelijk gekraak hoort. Iemand vindt het een mannelijke kick om in een toiletpot de bruine resten van een voorganger weg te plassen. Iemand houdt ervan om de tussendeuren van de oude Koplopertreinen te openen door met zijn pink een vederlicht tikje tegen de hendel te geven.

Ook bij het koekelen van de term bleek dat er in vele internetuithoeken wordt gediscussieerd over het onderwerp. Achterstevoren op een wc zitten. Schreeuwen onder een viaduct. Plassen in de sneeuw. Een föhn richten op passerende auto's. Water drinken uit een beslagkom. Je nagels knippen met een nieuw schaartje. Een gebroken beschuitje lijmen met boter. Een oude pinpas doorknippen. Een tag zetten voordat je een muur schildert. De lagen van een Engels dropje losmaken zonder ze te breken. De allereerste nachtvorst breken met de hak van je schoen. Een mooi rond bedrag tanken. De chocoladerand van een Milky Way eten en van de witte massa een bal draaien (die is van mezelf). Onder een spoorbrug fietsen, juist als er een trein langskomt. Een gaatje plassen in het wc-blokje.

Mijn ultieme kick voor niks krijg ik van het lezen van kookboeken in een taal die ik niet begrijp. Mijn schoonouders kwamen deze zomer terug uit Noorwegen met een boek genaamd *Suppe* in de *lett og lekkert*-reeks. Noem me autistisch, maar ik lees zo'n cadeau van a tot z, rollend van de ene kick in de andere trip. '*Suppe er alltid godt!*' begint het boekje, een stelling die ik ten enenmale onderschrijf. Kijk, een *potet*- of *blomkålsuppe* maken we bij wijze van spreke allemaal weleens (*potet* zal aardappel en *blomkål* bloemkool zijn), *sjampinjongsuppe* is ook nog wel te raden, maar het wordt lastiger als we twee centimeter *ingefær*, twee *fedd hvitløk* en anderhalve deciliter *kremfløte* nodig hebben voor een *krydret kyllingssuppe*. Of twee *gulrøtter* voor een *jomfruhummerbuljong* (*brun grønnsakene med i 4–5 minutter!*).

Maar laat ik oppassen en me hier niet in verliezen. Kicks hebben hun gevaren. Bij een kick druppelt er vanuit de hersenstam korstondig een shot dopamine het brein binnen. Dopamine geeft een aangenaam gevoel, maar er is een gevaar, want dopamine zorgt er tegelijkertijd voor dat het lichaam verlangt naar meer dopamine. Toen wetenschappers bij een rat een elektrische sonde wisten te plaatsen in een dopaminegebied, kon de rat zichzelf met een druk op een knop een shot hersendrug geven. De rat werd helemaal wild en drukte ongeveer zesduizend keer per uur op de knop (uiteindelijk stierf hij door uitputting). Het devies is: kick met mate en zorg dat je sterker blijft dan de kick.

Voetbal is liefde

In *de Volkskrant* van vandaag vindt u de bijlage met verslagen over en achtergronden van de bovenste legioenen, maar de verrichtingen van de onderlaag zult u er niet vinden. Ik heb het over jeugdvoetbal, het plankton van de hogere divisies. Laten we er eens een willekeurige wedstrijd uitpikken, het treffen van afgelopen zaterdagochtend tussen Jonathan E8 uit Zeist en Sporting '70 E6 uit Utrecht. Het betrof hier een onvervalste streekderby, op kweekvijverniveau.

Het regende, en dat verhoogde de teamgeest. En het was vroeg, maar lang niet zo vroeg als een gemiddelde wedstrijd in deze divisie. Het treffen begon zaterdag pas om tien uur 's ochtends, wat omgerekend naar de begrippen van de E-competitie zo'n beetje 's avonds laat mag worden genoemd. Voor een gemiddeld uitduel moeten de spelers en hun ouders zich al om kwart over drie in de nacht verzamelen bij de club, omgerekend naar de begrippen van uitslapers (er zijn optimistische lieden die roepen dat je dan nog wat hebt aan je zaterdag, en inderdaad: als je ervan houdt om de rest van de dag met holle ogen op de bank te vechten tegen de slaap, is zo'n ochtendwedstrijd echt een uitkomst). Dat vroege opstaan heeft te maken met het schreeuwende gebrek aan accommodaties en speelruimte, want de politiek heeft er altijd een makkelijke mond vol van dat 'de jeugd meer moet bewegen', maar ondertussen zijn er nauwelijks velden beschikbaar en lopen de wachttijden om lid te mogen worden van een voetbalclub soms op tot meer dan drie jaar.

Het duel tussen Jonathan E8 en Sporting '70 E6 begon rustig. In de bekerwedstrijd van afgelopen woensdag trof Sporting '70 een veel sterkere tegenstander, en ze verloren de match dan ook met 18–2 (een uitslag die een beetje geflatteerd aandeed, want het had ook rustig 29–0 kunnen zijn). Gelegenheidskeeper Joran, die had getost dat hij de eerste helft in het doel moest, verklaarde meteen na het begin van de wedstrijd tegen de verslaggever van *de Volkskrant* dat hij ervan uitging dat het treffen tegen Jonathan zou eindigen in een gelijkspel. Dat was voordat hij in één minuut twee doelpunten achter zijn oren kreeg. En daarna nog vijf. En daarna nog drie.

In Groot-Brittannië heeft de voetbalbond onlangs besloten om te stoppen met voetbal voor kinderen onder de acht jaar, want een beetje moeder gaat daar eerst op een cursus kickboxen voordat ze haar kinderen naar een voetbalclub brengt. In Nederland kennen we SIRE-spotjes die de boodschap uitdragen: ouders, leg niet te veel druk op de onschuldige kindertjes. Misschien woon ik in een verkeerde uithoek van het land, maar ik merk weinig van verbaal geweld of opvliegend gedrag van ouders. Eerder heerst er een gedeeld leedwezen tussen ouders onderling: hier staan we dan, in de stromende regen, te kijken naar twee teams die voetballen volgens het door de voetbalanalytici zo onderschatte 'allemaal naar de bal'-systeem.

Hoewel de Sportingse sterspelers Mette, Floris, Ties, Sem, Micha, Egon, Dore en Broos zaterdag moedig probeerden gaten te slaan in de standvastige Zeister verdediging, was het met name de meedogenloze aanvalsmachine van de Jonathanners die de Utrechtse bezoekers de das omdeed. Nu moet ik ter verdediging aanvoeren dat de Utrechtse spelers, tot verbijstering van meereizende supporters, soms rustig uit pure bewondering een vrolijke huppel maakten als een tegenstander de bal leep in de kruising schoot. 'Je laat zo'n hufter toch niet doorbreken?' zou een natuurlijke reactie zijn bij de hogere divisies, maar jeugdvoetballers kunnen oprecht blij zijn over een mooie goal van de tegenstander. Althans de spelers van Sporting '70 E6. Voor hen geldt nog het adagium: voetbal is liefde. Einduitslag 15-3, en alle spelers gingen opgetogen naar huis.

Vriend van Peter

Er zijn in Nederland niet veel mensen die weten hoe het er bij een jury van een filmfestival aan toegaat en hoe zo'n clubje hele en halve insiders bepaalt welke deelnemer een afgietsel van een of ander beest in de wacht sleept. Zo'n juryperiode is een sociaal experiment dat ik twee keer heb mogen meemaken. De tweede keer was vorig jaar in Utrecht, bij het Nederlands Film Festival. De jury werd tien lange lange werkdagen opgesloten in een verder verlaten bioscoopzaal, om meer dan zeventig films achter elkaar uit te zitten. Je moet er genetisch voor zijn geprogrammeerd om zo'n periode heelhuids door te komen zonder zelfmoordneigingen, agressieaanvallen, totale verveling of een diep doorleefd gevoel van de overbodigheid der dingen. En je gaat als jury heel erg veel van elkaar houden, of je vecht elkaar de zaal uit.

Mijn eerste keer was in 2003, toen ik in de jury zat van Film By The Sea, een filmfestival in Vlissingen dat zich heeft gespecialiseerd in boekverfilmingen (afgelopen vrijdag begon de tiende editie). Een van de andere juryleden was de illustere voormalige *Volkskrant*-filmjournalist Peter van Bueren. Ik ontmoette hem in Den Haag, en daarvandaan zouden we door de organisatie naar Zeeland worden gereden.

'Dat is nog een behoorlijke afstand,' zei ik. Ter illustratie: Van Bueren oogt als een overbelaste rechercheur in een Britse of Zweedse politieserie die net te horen heeft gekregen dat de seriemoordenaar die al achttien kinderen heeft gewurgd opnieuw heeft huisgehouden in een crèche.

'Als dit jouw niveau van conversatie is, hoef ik niet met je te praten,' zei Van Bueren, en vouwde zijn krant weer open.

'Oké...' zei ik aarzelend. 'Waar wil je het dan over hebben? Nederlandse film?'

Van Bueren zuchtte diep.

'Lúl toch niet zo ongelooflijk dóm, man,' riep hij. 'Hoezo de Nederlandse film? Film is niet Nederlands, IJslands, Turks of Oegandees. Film is film. Punt. Als je dat niet begrijpt: ga breien. En weet je wat ook volslagen stompzinnig is? Boek-verfilmingen. Zijn er boekjes van jou verfilmd? Ja? Dat dacht ik al.'

Ik keek hem aan, en net toen ik had bedacht dat dit wel-eens een lange autorit zou kunnen worden, zag ik een zweem van pret in zijn ogen.

'Hoe laat is het trouwens?' vroeg hij blaffend.

'Iets van tien uur,' antwoordde ik.

'Lúl toch niet zo dóm, man,' zei hij zuchtend, en weer zag ik even die kleine pretoogjes. Misschien dat ik eens lang in therapie moet, maar ik hou van mensen die hun genegenheid tonen met afzeikerige beledigingen. Er zijn echter ook lieden die daar minder gecharmeerd van zijn. Van onze zevenkoppige Vlissingse jury waren er toch zeker vijf die Van Buerens vlees wel konden bakken. Hij maakte het hen erg lastig. Zodra regisseur Ate de Jong tijdens een juryberaad, ontbijt of borrel ook maar iets zei, mompelde Van Bueren steevast: 'En dát noemt zich filmmaker.' Conny Palmen beet hij voortdurend toe: 'Connietje, Connietje toch', en aan regisseuse Lili Rademakers vroeg hij: 'Heb je dit zelf, of heeft je man dit bedacht?'

Op het hoogtepunt waren de verhoudingen binnen de jury zo verziekt dat Ate de Jong en Peter van Bueren uitsluitend nog communiceerden via de regionale tv-zender en de *Provinciale Zeeuwse Courant*. Tijdens het juryberaad waarin we de winnaar moesten aanwijzen werd er enorm op elkaar gescholden. Ik kreeg op een gegeven moment een verwensing van Lili

Rademakers naar mijn hoofd geslingerd. 'Jij!' riep ze. Hierna wilde ze me iets heel erg beledigends toevoegen en ze zei het gemeenste dat ze kon bedenken: 'Jij... vriend van Peter!'

Ik keek naar Van Buerens pretoogjes.

'Zit me toch niet zo dom aan te kijken, man,' zei hij liefdevol.

Fokking mieters

'Ik heb geen zin om voortdurend *Van Dale* te moeten pakken als ik mijn VOLKSkrant lees,' berichtte lezer M.B. over mijn — sporadische — gebruik van ongewone woorden. Ter verdediging: ik gebruik deze woorden niet om te declineren of te epateren, maar voor de mieterse lol die ze mij verschaffen, oftewel voor de fokking fun, om een modieuzere uitdrukking te gebruiken. Een schrijver heeft meer dan honderdduizend woorden tot zijn beschikking, en dan zou het toch gemakzucht zijn wanneer hij zich beperkt tot de meest gangbare of voor de hand liggende. Zoals vermeend dure woorden (wat die ook mogen behelzen) een fetisj voor mij zijn, zo kan ik mij ook uitermate verlustigen aan zogenaamd platte taal (wat dat ook moge zijn). Een jaar of vijftien geleden was ik columnist voor het inmiddels ter ziele gegane *Utrechts Nieuwsblad*. Na een half jaar ploeteren mocht ik in een chic restaurant een kop koffie drinken met een leidinggevende van de krant. De redactie was tevreden en dat wilde men zelfs honoreren met een verhoging van mijn gage. Maar daar stond wel iets tegenover. Voor iedere keer dat ik in mijn column geen gebruik zou maken van drie bepaalde expliciete woorden, verdiende ik vijftig gulden per woord. Studentarm als ik was heb ik die grijpstuivers gretig gepakt (en ben ik het in mijn columns consequent gaan hebben over 'anagrammen van ktu, llu en kneuen').

Nu verandert ons vocabulaire voortdurend. Een woord als 'mieters' werd honderd jaar terug nog als uitermate ongepast ervaren. Het *Woordenboek der Nederlandsche taal* noemde het destijds 'een zeer plat woord'. Ik geloof niet dat vandaag de dag iemand zich nog zal storen aan het gebruik van de uitdrukking mieters, en het ligt in de lijn der verwachting dat hedendaagse 'zeer platte woorden' hetzelfde zal overkomen. Er komt een tijd dat een grootmoeder tegen haar kleinkind nogal gedateerd zal zeggen dat ze het fokking kut vindt van die tand door de lip. 'Ja, echt tyfusklote, oma.'

Ik hoorde ooit een fraaie anekdote over een Amerikaanse woordenboekschrijver. De man kreeg, ongeveer anderhalve eeuw geleden, een brief van een deftige mevrouw, waarin ze over zijn nieuwe boek schreef: 'Wat een eerbiedwaardig werk hebt u gepubliceerd! Er staat geen onvertogen woord in!' De woordenboekschrijver schreef terug: 'Maar mevrouw, u wilt toch niet zeggen dat u allemaal vieze woorden hebt opgezocht om te constateren dat ze niet in mijn boek voorkomen?'

Wie nooit in woordenboeken heeft gezocht naar onwelvoeglijke taal, werpe de eerste steen. Onlangs verscheen er een boek dat dit gezoek overbodig maakt: het *Woordenboek van platte taal* (uitgeverij BZZTÔH). Voor iedereen die in het onderwerp is geïnteresseerd een zeer handig naslagwerk. 'Plat is,' volgens het voorwoord, 'niet per se vulgair of ordinair, maar kan ook eufemistisch zijn, schertsend, geestig, of bedoeld om een sfeer van "ons kent ons" te creëren.' Woordenboekmakers Heidi Aalbrecht en Pyter Wagenaar hebben een dappere poging gedaan de duistere werelden te rubriceren die zijn te vinden in de krochten van de samenleving. Eindelijk eens een woordenboek waarin je niet wordt gehinderd door onschuldige woorden, onbeduidende adjectieven, slappe interjecties, gaapverwekkende conjuncties of gezapige pronomina.

Gisteren, tijdens de Troonrede van de koningin, heb ik heerlijk in het boek zitten bladeren, met een schuin oog op mijn televisiescherm. Een doldrie, las ik, is een 'kleine, gedrongen persoon' (zeg maar zoals Eimert van Middelkoop er snurkend bij lag), een boutenbikker is een ander woord voor souteneur (wat wel wat weg had van Wouter Bos met zijn iets te strakke pak), en dan waren er ook nog behoorlijk wat woorden die de hoedjes van de dames verrassend helder omschreven: pissemuis, roomhoorn, tralala, tuinboon, honingpot, hete weke natte grot.

Aarhgrghehh

Begin deze week werd er in Vlissingen bij het festival Film By The Sea door filmmakers, schrijvers en uitgevers gediscussieerd over boekverfilmingen, dit naar aanleiding van de perikelen rond de (afgelaste) verfilming van Tommy Wieringa's *Joe Speedboot*. Wieringa was zo teleurgesteld in de opzet van de scenarist en de regisseur dat de rechter werd ingeroepen. Deze gaf Wieringa gelijk, zodat de schrijver door zijn collega's werd uitgeroepen tot de Jeanne d'Arc van de boekverfilming. Te vaak lopen boekverfilmingen in Nederland uit op boekverkrachtingen, te vaak lenen regisseurs de titel en een klein deel van de plot om vervolgens schaamteloos hun eigen verhaal te verfilmen.

Deze problemen kunnen ontstaan omdat boek en film twee totaal verschillende kunstvormen zijn. De Engelse schrijver Blake Morrison, ook aanwezig bij Film By The Sea, noemde dat het verschil tussen een kat en een hond. Een hond is een nogal slechte imitatie van een kat, maar kan als hond erg fraai zijn. Morrison is de schrijver van het verfilmde boek *And When Did You Last See Your Father?*. Het autobiografische boek — dat hij schreef op aandringen van zijn psychotherapeut — gaat over het sterven van zijn vader. Morrison (in de verfilming gespeeld door Colin Firth) vertelde in Vlissingen dat hij eens de set bezocht, maar toen door de regisseur werd gevraagd om te vertrekken. Zijn aanwezigheid zou storend kunnen zijn voor de acteurs, omdat men zich af zou vragen of de te spelen scène wel voldoende overeenkwam met de scène uit het echte leven van Morrison.

Hetzelfde heb ik meegemaakt met de verfilming van mijn roman *Ik omhels je met duizend armen*, over het sterven van een moeder. Ik werd uitgenodigd voor een setbezoek, toevalligerwijs net op de dag dat regisseur Willem van de Sande Bakhuyzen zou filmen hoe een arts de moeder in het bijzijn van haar kinderen een euthanasiasmerende injectie zou geven. Ik voelde mij bezwaard, niet uit angst dat de herinnering aan deze (autobiografische) gebeurtenis mij te veel zou raken, maar omdat Willem op dat moment leed aan een sluipmoordende ziekte waarvan duidelijk was dat hij die niet zou overleven. De scène met de moeder zou een vooraankondiging zijn van wat hem weldra zelf stond te wachten.

Op de set was er niets van te merken dat een doodzieke regisseur leiding gaf aan een grote crew. Met bewonderenswaardige energie, humor en geestdrift stuurde hij zijn mensen aan. Het daadwerkelijke sterven van de moeder (gespeeld door Catherine ten Bruggencate, die hier nog een Gouden Kalf voor kreeg) werd vanuit verschillende camerastandpunten opnieuw en opnieuw vastgelegd. In het begin stond ik erbovenop, maar toen ik merkte dat de halve crew voortdurend bezorgd naar me stond te kijken of ik niet té geëmotioneerd raakte, ben ik gaan zitten bij wat de videofeed heet, een scherm waarop te zien is wat de camera's daadwerkelijk opnemen. Hier keek ik met wat onbekenden naar een scène uit mijn eigen leven, en ik kon het niet laten deze te voorzien van voice-overs en aanvullend commentaar. Wie krijgt die kans? Ik zag mijn moeder die een dodelijk spuitje kreeg, langzaam wegzakte, maar — door mij met een bibberige stem nagesynchroniseerd — nog net wist uit te brengen: 'Jongens, het verstopte geld ligt... aarhgrghehh...' En toen zagen mijn zus en ik haar sterven. Of bij take 14 boog mijn moeder zich naar me toe en zei: 'Luister eens... je échte vader... is... aarhgrghehh.'

Hoewel Willem de opnamen erg geconcentreerd volgde,

kwam hij één keer naar me toe om te vragen of het goed met me ging.

'Ik vermaak me echt kostelijk,' zei ik.

Hij keek me glimlachend aan.

'Ik ook,' zei hij.

Zuchtmeisje

In de trein zat een blond meisje van een jaar of twintig met een retrokapsel à la Olivia Newton John. Tot voor kort had ik gemist dat die haardracht weer in de mode is, maar inmiddels zie ik het kapsel overal. Het meisje zat te staren naar het voorbijstuivende Zeeuwse landschap, ze had geen oordopjes in en zat niet te bellen. Plotseling hoorde ik haar zuchten. Geen amechtige opdringerige zucht, maar een kleine ingetogen ademstoot. Uit onderzoek blijkt dat mensen die zich onbespied wanen, minder vaak en zachter zuchten dan als ze in gezelschap zijn. Met andere woorden: zuchten is voor een deel een vorm van (al dan niet onbewuste) communicatie, net als lachen, kreunen, gapen en zelfs hoesten. De zucht van het meisje bleef hangen in de coupé. Zuchten van liefde zijn meestal niet bewust te sturen, net als zuchten van vermoeidheid wanneer iemand de spieren van zijn longwand niet meer in bedwang heeft. De zucht van het meisje klonk als een verliefdheidszucht of een zucht bij de gedachte aan een enorme blunder. Ik probeerde haar zucht verder te duiden, maar dat lukte me niet, hoewel ik daar redelijk bedreven in ben.

In een ander verband heb ik geschreven over het gezucht van mijn moeder, die ziek was en middels haar zuchten hele gesprekken kon voeren. Mijn moeder had vele onderling te onderscheiden zuchten van ergernis, die weer anders klonken dan haar zuchten van pijn, weer anders dan haar zuchten van opluchting, haar zuchten van vermoeidheid, van tevredenheid, ontreddering, gelatenheid, verbazing, enzovoort. Door zorgvuldig naar het gesteun van mijn moeder te luisteren, kon ik — de zelfbenoemde zuchtfluisteraar — precies inschatten hoe ik haar op haar ziekbed moest behandelen.

Ik heb in een boek ooit het woord 'zuchtmeisje' geïntroduceerd, dat door journalist Guuz Hoogaerts werd geleend om naam te geven aan Franse zangeressen die zuchten tijdens het zingen ('hetgeen een expliciet sensueel karakter draagt,' aldus Wikipedia, die het woord inmiddels heeft opgenomen). Hoogaerts — in muziekland beter bekend als dj Guuzbourg — bracht vorig jaar de cd *Filles fragiles* uit, een mooie compilatie Carla Bruni-achtige liedjes. Het bleek een bescheiden hit. Volgende week verschijnt daarom het vervolg, *Filles fragiles 2*, met zo mogelijk nog zuchterige zuchtliedjes van zuchtzangeressen.

Guuzbourgs compilatie deed me terugdenken aan een zuchtmeisje waar ik ooit maanden achteraan heb gelopen. Gaandeweg kregen zij en ik een wat we noemden geen-relatie, die af en toe werd geconsummeerd, zonder afspraak, zonder verplichtingen, zonder *strings attached*. Op een middag vroeg mijn niet-vriendin me onverwachts die avond met haar en haar moeder mee te gaan naar een gesubsidieerde toneelvoorstelling. Ze had iemand nodig om haar bij te staan bij die worsteling.

'Dan ontmoet ik dus je moeder,' zei ik hoopvol, want je kunt rustig een heel bevredigende geen-relatie hebben, maar zodra je elkaars ouders gaat ontmoeten, duikt de verbintenis gevaarlijk de diepte in. Maar ze zuchtte dat ik me niets in mijn hoofd moest halen.

'Ha, eindelijk mijn schoonzoon!' zei haar moeder plagerig bij onze begroeting, waarop haar dochter haar vol misprijzen aankeek. De voorstelling begon en overtrof onze huiveringwekkendste verwachting. De rest van het publiek liet de onbegrijpelijke woordenbrij minzaam genietend over zich heen komen, terwijl mijn niet-vriendin en ik stilletjes naast elkaar zaten in de donkere zaal. Ik rook haar overweldigende geur en legde een hand op haar been. Ze haalde diep adem en met alle overgave van haar lichaam zuchtte ze. Er zat veel emotie in die zucht: berusting, teleurstelling, ergernis, verveling. Hoewel zij en ik elkaar hierna nog een paar maanden bleven zien, werd me duidelijk dat op dat moment voorbij was, wat er nooit was geweest.

Nazomer

Broeder Bril nodigt mij uit voor een kop koffie op loopafstand van zijn huis. Hij ziet er goed uit, zijn haar is fris geknipt, zijn huid oogt vakantiebrons, zijn kekke pak zit strak om schouders en kont. Martin maakt, kortom, een patente indruk. De digitale versie van *Van Dale* geeft als toegift op de woordenlijst ook een 'gradatie bijvoeglijke naamwoorden'. Van een centrale term als 'goed' zijn de versterkte vormen, in volgorde: 'beregoed, excellent, opperbest, patent, piekfijn, prima, puik, retegoed, steengoed, superbe, uitmuntend, uitnemend, uitstekend, voortreffelijk'. Patent staat daar mooi tussen, beter dan beregoed en met nog genoeg voor zich om naar te verlangen.

'We gaan even een kopje koffie drinken bij Harry,' kondigt Martin aan, een mededeling die mij angst inboezemt. Zo vaak ga ik geen bakkie doen bij collegaatjes, zeg ik, maar Harry blijkt de illustere eigenaar van een al even illuster koffiehuis op de hoek van de Prinsengracht en de Reestraat.

'Hier kwam Ischa altijd,' zegt Martin, met zijn gezicht in de zon. Plotseling schiet me een gebeurtenis uit Connie Palmens *I.M.* te binnen, waarin de schrijfster op deze hoek oog in oog stond met haar latere minnaar. Zij en Ischa bleven allebei verstard staan, keken elkaar aan en zeiden niks. Palmen: 'Zonder me van tevoren te waarschuwen wijkt mijn kringspier uit elkaar en ik doe het in mijn broek. Tegenover me spreidt hij zijn benen, grijpt naar zijn kont en roept verbaasd uit dat hij in zijn broek heeft gepoept.' Dit is een passage die me is bijgebleven, meer vanwege de inhoud dan vanwege de stijl. Ik ben me ervan bewust dat hartstocht onvermoede krachten losmaakt en ben bereid daar ver in mee te gaan, maar twee elkaar zo goed als onbekende lieden die op straat tegenover elkaar staan en uit pure verliefdheid in hun broek poepen, dat gaat er bij mij niet in. Noem me onromantisch.

'Tja, de liefde vermag vreemde dingen,' zegt Bril. We drinken koffie en kijken om ons heen, en ik vraag me af waarom ik iets anders in mijn leven zou willen dan aan het water zitten en een beetje turen naar de mensen en de dingen.

'Ik denk dat ik hier volgende week eens ga zitten met mijn laptop, om gewoon op te schrijven wat er gebeurt tussen twee en vier uur 's middags,' zegt Bril.

'Eh, volgende week ben ik op vakantie,' zegt Harry, die een tweede ronde koffie neerzet. Bril veert op. Waarheen? Hoe lang? Met welk vervoermiddel? Harry pakt een stoel en begint te praten. Ik luister naar het fascinerende gesprek van de twee mannen, dat over heel veel gaat en tegelijkertijd over aangenaam weinig. Over San Sebastian en de reis erheen, over TGV's, omslaand weer, opgroeien in de Jordaan (met zes man thuis en je wassen in een zinken teil), over een of andere stadsbus die alleen door Hans van Mierlo wordt gebruikt, over de vraag of het Bonobo Ziekenhuis naar de aapsoort is vernoemd, over de vraag wie er in Amsterdam in godsnaam van Noord naar Zuid zou willen reizen, over Dove Dirk die doof is sinds zijn zevende, over het rookverbod en mensen die nu liever thuisblijven ('maar dan mis je dus wel je cafévrienden, want die ga je onder geen beding bij je thuis uitnodigen').

'Nou, koffietje nog?' vraagt Harry ten slotte.

Als hij weg is sluiten wij onze ogen naar de zon. De nazomer voelt goed, of in de gradatie van *Van Dale*: beregoed, excellent, opperbest.

Krakend water

Eergistermiddag. Samen met één andere reiziger zit ik in een verder verlaten treincoupé. De man, type hoge ambtenaar, heeft zich niet gehouden aan de ongeschreven regel dat je in lege treinstellen zo ver mogelijk van elkaar gaat zitten. Hij heeft schuin tegenover me plaatsgenomen, een handeling die mijn reis eigenlijk nu al verpest. En dan gebeurt het. Nog geen vijf minuten na ons vertrek uit Utrecht haalt hij een grote groene appel uit zijn ambtenarentas, die hij omstandig, ja zelfs dreigend, begint op te wrijven. Gerard Reve schreef ooit dat er niets zo onuitstaanbaar is als iemand die in het openbaar eet. Daar ben ik het op het agressieve af mee eens. Ik kijk liever naar iemand die in de aanwezigheid van onbekenden ingetogen begint te onaneren of zijn bilharen met behulp van een handspiegeltje bijpunt, dan naar de natte malende mond van een onbekende medetreinreiziger. Zuchtend wend ik mijn hoofd af naar het voorbijtrekkende landschap.

Die avond mag ik in Nijmegen als invallende buitenspeler optreden met het schrijvende voetbalelftal van *Hard Gras*. We hebben een wedstrijd in het Luxtheater. Halverwege mijn treinreis sms't aanvoerder Henk Spaan dat de spelersbus vast staat in de file.

'Wees blij,' sms ik terug, 'ik zit tegenover een ambtenaar die een appel eet.'

Dat is een lichtelijk understatement: de man kraakt, smakt, maalt, snift, lebbert, slobbert, zuigt, reutelt, prut, flupt, burpt — ik ben blij dat er geen andere diersoorten in de coupé zitten, want ik schaam me voor de mensheid. Dan, na een paar uur succulent geslurp, stopt de ambtenaar zijn tot op de appel-molecuul afgekloven klokhuis eindelijk in de designbak van het eersteklasvoertuig. De spieren in mijn hals ontspannen. Terug naar een symfonie van stilte. De auditieve marteling is voorbij.

Althans, dat mocht ik denken. In één vloeiende beweging weet de man het klokhuis in de bak te werpen om vervolgens uit zijn tas een uitgeslagen tupperwarebakje te pakken. Mij strak aankijkend opent hij het trommeltje om er een stuk komkommer uit te halen. Komkommer, goddommer. Ik bedoel: voedingswaarde nul, geen vitamines, geen mineralen, geen enkele nuttige bouwstof. De *Untergemüse* onder de groenten. Krakend water, meer kunnen we er niet van maken. Nu snap ik best dat ik me welbeschouwd niet mag ergeren aan smak- en kauwgeluiden, maar ergernis laat zich helaas niet wegdenken: op het moment dat je iets niet wil horen, hoor je het des te harder. Waarom gaat die man niet thuis lekker geluid zitten maken?

Uit frustratie stuur ik Spaan weer een sms. 'Hij zit nu een stuk komkommer te knagen.' Terwijl ik dit intik kijk ik strak naar de geluidsexhibitionist tegenover me. De man doet het erom, ik weet het zeker.

'Kun je geen foto van hem maken, voor op de site van *Hard Gras*?' schrijft Henk vrolijk terug. Ik lees dit bericht nog-maals. Dit twinkelende idee maakt mijn treinreis ineens een stuk aangenamer. Langzaam haal ik mijn grote nieuwe Black-Berry uit mijn jaszak. Omdat het een nogal opzichtig apparaat is om zomaar op iemand te richten, maak ik eerst een foto van het landschap. Terwijl ik dit doe klinkt er een digitaal geluid van een spiegelreflexcamera, dat zelfs het geknars van de ambtenaar overstijgt. De man kijkt verbaasd op.

Zo achteloos mogelijk hou ik mijn telefoon vast, maar vlak voordat ik mijn moed bij elkaar schraap en wil afdrukken, roept de machinist om dat we Arnhem naderen. Snel stopt de ambtenaar het laatste restje groenvoer in zijn mond, voor een spetterende finale van zijn speekselconcert. Hij sluit zijn trommeltje en pakt zijn tas. In het voorbijgaan kijkt hij mij nog één keer uitdagend kauwend aan, de befaamde Arnhemse komkommertreiteraar.

Heilig vuur

Ik hou van Jezus. Of beter gezegd: ik ben een grage Jezuslezer. En dan bedoel ik niet dat ik met plezier lees over de mensenzoon Jezus Christus, die ongeloofwaardige zijige figuur die evangelistische sekteleden hebben geconstrueerd, maar over 'de historische Jezus' — al weten we daar welbeschouwd niets van. Ik hoor tot het kamp dat denkt dat Jezus van Nazareth een literair personage is ('de beroemdste mens die nooit heeft geleefd'), samengesteld uit verschillende Jezusachtigen. Zoveel Jezuslezers, zoveel meningen. Volgens de een was Jezus een jomandaëske gebedsgenezer, de ander zag in hem een tobbende homoseksueel, de derde een geslepen politicus, een goochelaar, een wijsgeer, een oplichter, een agent-provocateur, een goed mens, een machtswellusteling, een godsdienstwaanzinnige, een *Volkskrant*-columnist avant la lettre, sommigen denken dat Caesar & Jezus dezelfde persoon waren, en weer anderen Boeddha & Jezus, zelfs Mohammed & Jezus — je kunt het zo gek niet bedenken. Twee weken geleden publiceerde regisseur Paul Verhoeven — in samenspraak met journalist Rob van Scheers — zijn visie op het leven van de historische Jezus. In dit boek schildert Verhoeven zijn Jezus af als een toenmalige Che Guevara, die werd verwekt toen een Romeinse soldaat een vrouw genaamd Maria verkrachtte. Ik smul van dit soort boeken, al lees ik ze meer als literatuur dan als geschiedkunde.

Ook fascinerend om te lezen: vandaag verschijnt de herziene versie van Rob van Scheers' biografie van Paul Verhoeven, een bijna zeshonderd pagina's tellend boekwerk over diens tot de verbeelding sprekende leven. Wat de evangelist Marcus was voor Jezus, is Van Scheers voor Paul Verhoeven. Of eigenlijk gaat deze vergelijking mank: Marcus begon het gelogen leven van de Verlosser pas op te tekenen jaren na de dood van de historische Jezus, terwijl Verhoeven nog springlevend is. De eerste versie van Verhoevens biografie verscheen twaalf jaar geleden, en ik heb een warme vechtrelatie met het boek, omdat ik in de jaren voor verschijning nogal arm was. De biograaf, een Utrechter, verschafte mij en mijn huisgenoot Bert Natter extra calorieën door ons cassettebandjes van zijn gesprekken met Verhoeven te laten uittikken. Voor iedere uitgewerkte tape kregen we een povere maaltijd in een gaarkeuken genaamd De Knipoog (we hebben het over de hongerwinter van 1994–1995).

Bert en ik hebben Verhoeven vervloekt, met Van Scheers erbij. Laten we het erop houden dat Verhoeven niet langzaam praat en dat vaak ook niet duidelijk is in welke taal hij zich uitdrukt, niewaar. Verhoeven is een *fast thinker*, niewaar, iemand die sneller denkt, niewaar, dan zijn mond kan volgen, niewaar. Taal is voor hem slechts een wankel vehikel voor zijn onstuimige gedachtenstroom. Ik heb passages uitgewerkt waar het in één lange volzin — heen en weer kaatsend van Nederlands naar Amerikaans en alle varianten daartussen — kon gaan over Sharon Stone, Jan de Bont, filosofie, het vaderlands verzet, Jezus, *Robocop*, wiskunde en het verschil tussen Russische en Amerikaanse montagetechnieken. Tijdens het uitwerken kregen Bert en ik hetzelfde gedrag als vroeger mijn ouders hadden tegen de televisie: we gingen een onpersoonlijk apparaat persoonlijke verwijten maken. 'Praat toch eens wat duidelijker, man!' riep ik naar de cassetterecorder. 'Heb meelij met ons!' riep Bert.

Vanuit het standpunt van de argeloze stenografen leek het of Verhoeven er maar op los zat te oreren, maar bij nalezing van het transcript bleek dat hij louter steekhoudende din-gen had gezegd. Voor ons was dit een lesje nederigheid. Niet vaak zagen we zo'n bevlogen, geobsedeerd en bezeten mens. Vlijmscherp, meedogenloos, gepassioneerd en met een groots gevoel van zelfinzicht. Paul Verhoeven, was onze conclusie, heeft een tot de verbeelding sprekend Heilig Vuur — net als Jezus zou hebben gehad, hoewel niemand dat met zekerheid kan zeggen, niewaar.

Jurk

Premières van het Nederlands Film Festival zijn alleen te bereiken na een helletocht over een stuk hoogpolig tapijt waarlangs heel medialand zich heeft opgesteld. Ik heb een vriend die geniet van dit spektakel. Hij komt strak in het pak en neemt de tijd om zich langs alle tv-ploegen, radiomicrofoons, handtekeningenjagers en psychopaten te werken. En dan, als hij de ingang van de Schouwburg heeft bereikt, wringt mijn vriend — ik zal niet onthullen wie hij is, maar hij heet Bart Chabot — zich met een boog achter de journalisten om, voor een twééde ronde over de rode loper.

Het kan ook anders. Mijn vrouw lijdt aan loperangst ofwel loperfobie. Weken voor het feestje begint ze me te bewerken. Moet ze echt mee over die rode deurmat? Kunnen we niet via een raam naar binnen? Vind ik het goed dat ze haar brommerhelm ophoudt? Ook de vraag welke jurk ze zal aantrekken geeft hoofdbrekens. Ik weet inmiddels dat ik me daar niet mee moet bemoeien. Een scène uit de film van het leven van mijn ouders.

'Welke jurk zal ik aantrekken?' vroeg mijn moeder op een dag (dit speelt zich af ver voor hun scheiding). De oppas was onderweg, mijn ouders gingen naar een feest, waar iedereen waarschijnlijk glorieus gekleed zou gaan. Mijn moeder hield twee galajurken omhoog. Wij keken met haar mee.

'Deze rode of deze zwarte?'

Ik zag mijn vader weifelen. Zijn devies moet zijn geweest: lijfsbehoud gaat voor eerlijkheid.

'Ik vind ze allebei heel mooi.'

Het was een goede poging, maar hij kwam er niet mee weg.

'Je zou die rode kunnen doen, maar je zou ook zeker die zwarte kunnen aantrekken,' was zijn tweede poging en ook die werd door mijn moeder weggewuifd.

'Zeg nou gewoon even eerlijk welke jurk je het mooist vindt,' riep ze lief. Mijn vader stond in dubio. Aan zijn blik zag ik dat hij zich snel probeerde af te vragen: welke jurk heeft ze het laatst gedragen, welke heeft ze het laatst gekocht, heeft ze ooit iets over die verrotte jurken gezegd?

'Nogmaals, ik vind ze allebei erg mooi,' begon hij peilend, 'maar als je me nu echt dwingt een antwoord te geven, dan zeg ik: doe die zwarte maar...'

Mijn moeder knikte.

Mijn moeder zweeg.

Mijn moeder knikte nogmaals.

'Wat... is er mis met die rode?' vroeg ze langzaam.

Mijn vader keek haar aan.

'Er is helemaal niets mis met die rode, maar...'

'Zie je wel. Er is iets mis met die rode. Ik heb het altijd geweten. Toen ik hem kocht vond ik ook al dat je niet echt enthousiast was. Waarom zeg je dat niet gewoon? Ik moet altijd alles tien keer aan jou vragen voordat ik het echte antwoord krijg.'

Haar volume ging omhoog.

'Wat heb ik nou aan jou, als je op zulke simpele vragen niet gewoon even een eerlijk antwoord kan geven? Hoe moet dat als het een keer echt ergens over gaat? Ik moet altijd hier álles zelf beslissen. Ik kan het je wel vragen, o ja, ik kan het je wel vragen, maar het heeft tóch geen zin. Ik krijg van jou nóóit ééns een nórmáál antwoord.'

En toen op het schreeuwerige af: 'Denk je dat het voor mij leuk is, met een man die nooit eens normaal antwoord geeft?'

En wij wisten dat dit gesprek nog drie kwartier ging duren,

en dat het resultaat zou zijn dat mijn moeder noch haar rode noch haar zwarte jurk aan zou trekken. De moraal: zeg nooit ofte nimmer iets over de keuze van een jurk.

Teen spirit

Ergens stond dat de leeftijd van de gemiddelde *Volkskrant*-lezer eenenvijftig jaar is. Dat klinkt aan de oude kant, maar ter relativering vermeldde hetzelfde stuk dat de gemiddelde *Sesamstraat*-kijker negenenveertig is. Ik ga ervan uit dat de doorsnee *Volkskrant*-lezer niet weet wie of wat The Wombats zijn, en dat stelt mij voor een moeilijke opgave. Schamperen is voor een stukjesschrijver doorgaans niet zo'n grote opgave, maar getuigen van oprecht enthousiasme is veel lastiger.

Een wombat is een kruising tussen een marmot en een kangoeroe. The Wombats is de naam van een driemanschap Engelse jochies dat stormenderwijs de popwereld verovert. Het staat in een traditie van Britse bands als de Arctic Monkeys en de Kaiser Chiefs, die hun muziek hebben van Blur en Oasis, die hun sound op hun beurt creatief hebben gejat van The La's, die weer waren beïnvloed door xtc, dat weer teruggreep op The Jam, dat zich liet inspireren door The Small Faces en The Who — en dan zijn we inmiddels aan het eind van de jaren zestig aanbeland, toen de huidige *Volkskrant*-lezer gemiddeld elf jaar was.

Wat ik bedoel: er verandert niet zoveel. The Wombats maken uitgelaten energieke humorvolle muziek over meisjes, verliefdheid, veroveringen en vernederingen. Als je jong bent zit het leven simpel in elkaar: jongens willen met meisjes. Als die meisjes daar op ingaan levert dat geweldige nummers op, en als die meisjes dat niet doen ook. Dan heb ik het dus niet over puberaal onbenul, maar over intelligente en meeslepende muziek, met een verraderlijk donkere ondertoon.

Vorig jaar zag ik The Wombats in het Utrechtse poptempeltje Ekko, met een vast clubje veertig-ontkenners (mannen die hardnekkig weigeren te geloven dat ze al over de helft zijn). Eens in de zoveel tijd gaan we naar een optreden van muzikanten die onze kinderen hadden kunnen zijn, waarbij het ons krampachtig helemaal niet opvalt dat we door de rest van het publiek worden uitgelachen om onze haarstukken, kunstgebitten en looprekken.

Inmiddels zijn The Wombats een topact: donderdag jongstleden speelden ze in een uitverkocht Tivoli. Wij waren er weer bij, al was het alleen maar omdat we geleerd hebben van fouten uit het verleden. Op 11 maart 1989 maakte een deel van onze groep de beslissing om die avond in Tivoli niet naar de popgroep TAD te gaan, met een volslagen onbekend Seattles bandje in het voorprogramma. Hadden ze dit wel gedaan, dan konden ze tegen hun kleinkinderen zeggen dat ze Nirvana en Kurt Cubain nog live hadden zien spelen.

Afgelopen donderdag rook het erg naar *teen spirit*, in Tivoli. The Wombats goten een bak energie uit over de zwampende stampende stagedivende massa jongeren. Wij, vroegbejaarden, volgden het concert van achteruit de zaal, omdat anders onze rollators zo in de weg zouden staan. En toen gebeurde het. Uit puur enthousiasme voor de muziek zijn we ons — wellicht aangevuurd door alcohol — net als vroeger gaan wringen naar de voorkant van het podium, plotseling genezen van onze reuma en ouderdomssuiker.

Niets ten nadele van een orgasme, maar een optreden van The Wombats geeft ook een enerverend gevoel van zelfverlies. Wij (directeur, ondernemer, filiaalhouder, CFO en twee schrijvers) begonnen steeds spastischer te bewegen en gingen zelfs al pogoënd, springend en duwend op in de deinende buidel koesterende lichamen.

'*Let's dance to Joy Division!*' zongen The Wombats, met

een knipoog naar de deprimerende zelfmoordklanken van de postpunkband uit de jaren tachtig. *'And celebrate the irony, everything is going wrong, but we're so happy!'* 'Laten we de ironie vieren: alles gaat verkeerd, maar wij zijn zo gelukkig.' Beter kan de geest van de jeugd niet worden verwoord. En echt ironisch is dat het later — als jongeren ouder worden — precies andersom geldt.

Hoofdkantoor

Op doortocht van de ene naar de andere verplichting zocht ik in een gehucht bij Leeuwarden een plek voor een snelle hap. In een voormalig rokerig café vond ik een tafeltje onder een luifel aan een binnenplaats. Mijn oog viel op een bord voor de ingang van het etablissement.

'De wereld is een gekkenhuis en hier is het hoofdkwartier!' las ik, waarna ik er meteen spijt van had dat ik deze kroeg had uitgekozen. Zou iemand dit lezen en denken: daar moesten we maar eens een biertje doen? Ik keek naar de bezoekers aan de bar. Dit zijn ze dus, dacht ik. Ze zagen er redelijk normaal uit.

Toen kwamen er twee mannen binnen, die gek genoeg allebei op Malle Pietje leken. Ze zeulden met een enorme doos.

'We hebben er een!' riep een van de mannen naar de bezoekers aan de bar, maar deze reageerden niet al te uitzinnig. Of eigenlijk reageerden ze helemaal niet. De mannen zetten hun doos vlak voor me op de binnenplaats, terwijl ondertussen een barman mijn bestelling bracht. Ik moet toegeven dat dit de gekste kipsaté was die ik ooit heb gekregen: een bezemsteel waar drie hele kippen op waren gespietst, overgoten met een paar liter pindasaus en begeleid door één stukje kroepoek.

'Smaak etelijk,' zei de barjongen emotieloos, waarop hij zich begon te bemoeien met de Pietjes, die hun doos inmiddels hadden uitgepakt. Er bleek een bouwpakket in te zitten voor een staande gaskachel, bedoeld om de binnenplaats te verwarmen nu de dagen kouder werden en de ontberingen voor rokers allengs toenamen. Alle onderdelen werden verspreid over de binnenplaats neergelegd, waarna de mannen een peukje opstaken om te bedenken hoe ze nu verder moesten. Vanaf de bar kwamen er drie andere gasten naar het hofje voor een saffie, en zo gebeurde het dat zes volwassen mannen zich bezighielden met de montage van één gasapparaat.

Terwijl ik worstelde met mijn kippen volgde ik het Grote Mannen Topoverleg van dichtbij. Aanvankelijk vorderde de opbouw van de kachel gestaag, maar toen het moment kwam dat de gastank kon worden aangesloten, ging het mis. Het ding wilde niet aan. Vijf keer werden alle onderdelen uit elkaar gehaald en in elkaar gezet, maar het mocht niet baten. En hoewel het hier een gekkenhuishoofdkwartier heette, gingen de patiënten niet bepaald vrolijk met elkaar om. Hoe langer het duurde voor de kachel brandde, hoe geïrriteerder men raakte.

'Dat dingetje daar, dat lippeltje, nee, dat lípseltje zeg ik toch, dat moet je daar in doen,' hoorde ik een debiel tegen een achterlijke zeggen.

'Moet ik dit dichtdraaien?' vroeg een dwaas aan een maniak.

'Is de druk in de tank wel in orde?' vroeg een mafkees aan een psychopaat.

'Je gaat toch nu geen peuk staan roken!' riep een idioot tegen een geesteszieke.

'Misschien moet je er even een vuurtje bij houden,' probeerde een snuggere halve zool tegen een mallotige waanzinnige.

'Waar ligt Beverwijk?' vroeg een zot in het algemeen, een vraag die ik mezelf ook stelde, want ondertussen begon het zelfs in mijn hoek naar gas te ruiken.

Uiteindelijk kwam een van de Malle Pietjes op het idee om de gebruiksaanwijzing er eens bij te pakken.

'Hier staat dat je een minuutje moet wachten,' zei hij nogal oenig. De andere Piet keek hem met een rare blik aan.

'Als ik jou niet had en maar één oor, kon ik nooit een bril op,' zei hij, waarmee voor mij het punt was bereikt om de rekening te vragen.

Trekkerangst

Mannen hebben vaak spijt over sekskansen die ze niet hebben benut, terwijl vrouwen somber worden van avontuurtjes die ze wel zijn aangegaan. Dit blijkt volgens het blad *Psychologie* uit Amerikaans onderzoek waarin mensen werden gevraagd terug te kijken op hun studententijd. Ik neem aan dat niemand zo'n bericht kan lezen zonder het op zichzelf te betrekken. Spijt vind ik in mijn geval een groot woord, maar ik kan niet ontkennen dat ik de stelling niet herken als heel onzinnig. Veel te lang heb ik me ten opzichte van meisjes gedragen als een vriendvriend, praatvriend, luistervriend, meedenkvriend, schildervriend, bandenplakvriend, uithuilvriend, betaalvriend, kookvriend. Als zoon van twee feministische moeders en een rustige vader kwam het in het begin van mijn studentenjaren niet in me op dat je je als jongen weleens wat doortastender zou mogen gedragen. Dit in tegenstelling tot mijn huisgenoten, die het veroveren van vrouwen zagen als een sportieve noodzakelijkheid.

Van één voorval krimp ik nog weleens ineen. Ik zat in die jaren bij de SLAU, een literaire subsidiegrootverbruiker die een avond over boekverfilmingen organiseerde met een of andere onderbond van de Nederlandse filmdagen. De onderbond vaardigde een vrouw af, een meisje nog, een studente die in Amsterdam woonde maar tijdens het festival in Utrecht bleef slapen. De weken voor de filmdagen hadden wij namens onze wederzijdse clubs vergaderd, waarbij ik me weer van mijn praatvriendelijkste kant had laten zien. Het meisje had net een verstikkende relatie beëindigd en ik wist daar met de juiste toon enkele troostende dingen over te zeggen. En daarna gingen we weer ieder ons weegs, want ik had het lef niet me als een hufter te gedragen.

Tijdens het festival zegde een schrijver zijn deelname af aan de groepsdiscussie, later die week. Dit wilde ik mijn medeorganisatrice laten weten. Mobiele telefoons bestonden niet, als je iemand die in een hotel sliep wilde bereiken, dan belde je het hotel — het is bijna niet meer voor te stellen — of je kon worden doorverbonden naar de kamer. Ik kreeg het meisje meteen aan de lijn. Ze bleek nog in bed te liggen, zei ze schor, want ze had de avond ervoor een feest gehad. Ik hoorde lakengeluiden en maakte daar onbedoeld een dubbelzinnige opmerking over.

'Als je wilt kun je erbij komen liggen,' zei ze lijzig. Ik moet grote ogen hebben opgezet, want ik was niet gewend aan een hert dat recht voor mijn loop ging staan. Ik was sowieso niet gewend aan de jacht en kreeg last van wat jagers 'trekkerangst' noemen. Nadat ik te lang in pijnlijke aarzeling had gezwegen, zei het meisje dat ze moest opstaan voor een vergadering. Ik stotterde wat en we hingen op.

's Avonds zag ik haar pas weer, op een nazit van een filmpremière. De hele avond had ik naar haar uitgekeken en nu was het zover. Ik vond haar in de gang naar de toiletten. Inmiddels had ik mijn gogme hervonden en was ik tot de tanden toe bewapend met goede aanvalszinnen en gespreksopeningen. Toen ik beter keek zag ik dat ze me niet blij stond op te wachten. Integendeel: lodderig was ze aan het zoenen met een jongen en ze had niet eens door dat ik langsliep. The Beach Boys zingen: '*I never thought that I could cry, till I saw you with another guy...*' Nu, twintig jaar later, kan ik de emoties van dat moment nog steeds navoelen: ontreddering, boosheid, vernedering, maar vooral spijt. Goddank weet ik inmiddels dat zij, volgens *Psychologie*, dat laatste gevoel ook heeft over haar avontuurtje.

Neerstorten

Als u dit leest ben ik er niet meer. Dan lig ik op een strand van een eiland waar ik nog nooit van had gehoord, mits we niet zijn neergestort.

Ik schrijf dit in de vertrekhal van Schiphol, uit angst dat er op Gozo, zoals het Maltezer rotsje heet, geen dataverkeer met Nederland mogelijk is. Wat is het toch dat zodra je vakantie is begonnen je keelklieren opzetten, neusschotten overstromen, bronchiën muiten en een algehele revolte der spieren toeslaat? Waarom worden we ziek als we eindelijk vrij zijn? Ik heb mezelf proberen te foppen door mijn computer mee te nemen en een paar deadlines af te spreken, maar mijn afweersysteem trapte daar niet in.

Ik heb een vernauwd bewustzijnsniveau, dat komt door de klankkast van snot in mijn hoofd. Alles komt vervormd aan, een grappig effect, omdat in deze immense hal juist alle geluiden worden versterkt.

Wachtend op onze vlucht zijn mijn oudste twee met mijn vrouw op ontdekkingstocht naar geuren en accessoires. Mijn jongste zit in zijn wagentje lodderig te kijken naar omstanders. Hij heeft hetzelfde virusje als ik en lodderig kijk ik met hem mee. Als ik grieperig ben voel ik een weldadig gevoel van genegenheid voor de mensheid. Dat zal genetisch zijn bepaald: toen we nog op de steppen leefden konden zieken alleen overleven met hulp van welwillende stamgenoten. Dan kon je je als toenmalige patiënt maar beter aardig gedragen, en dat is precies zoals ik erbij hang. Hoestproestend en riltrillend staar ik naar passanten, die me nog net geen muntgeld toewerpen.

De vorige keer dat we met ons gezin in deze hal waren, wist mijn toen zesjarige dochter omstanders te verontrusten door voortdurend met haar snerpende kinderstem te vragen 'of ons toestel ook kon neerstorten'. Geen prettig woord in een vertrekruimte die je maar op één manier kunt verlaten. Mijn zoon, een aëronautisch autodidactje van destijds acht, wist mijn dochter gerust te stellen met de uitleg dat ieder vliegtuig in principe kan neerstorten. Hierop begonnen zij zonder angst of verontrusting een niet te volgen gesprek over de kunst van crashen boven zee (vroeger leerden wij de ijsvrije havens van Noorwegen, tegenwoordig weten ze alles van luchtveiligheid).

Vanuit de verte komt mijn dochter kordaat aangelopen.

'Had je geen zin meer om te shoppen?' vraag ik schor.

'Ik mag van mamma niet meer over vliegtuigongelukken praten,' zegt ze niet al te beteuterd. Blijkbaar houdt het onderwerp haar nog steeds bezig. Ze vlijt zich tegen me aan. Samen kijken we naar een man die een bagagetrolley voortduwt met één kleine tas erop.

'Kan die man hem niet gewoon tillen?' vraagt mijn dochter, binnen hoorafstand van de voorbijganger. Mijn oren suizen. Ik doe alsof ik haar vraag niet heb gehoord.

'Pappa...' zegt mijn dochter, met een intonatie die doet vermoeden dat ze gaat vragen naar de oplossing van het wereldraadsel. Ze wacht even met het vervolg.

'Spoelen er op ons Gozo ook overleden mensen aan?'

'Jezus, waarom vraag je dat?'

Omdat ze op tv een item heeft gezien over Afrikaanse gelukszoekers bij een schipbreuk.

'En weet je wat het erge was?' zegt ze plotseling fel, 'dat er toeristen waren die er gewoon naast gingen liggen zonnen.'

Ze kijkt me aan en verwacht antwoord op de vraag hoe

mensen hiertoe in staat zijn. Hoe leg je dit uit aan een kind? Ik weet niets te zeggen, wat niet alleen komt door koorts en snot, en probeer haar aandacht af te leiden.

'Vraag nog eens wat over neerstorten,' zeg ik hees.

Gozo

Ik zit hier bij het rotsblokkenstrand van de fascinerend mooie Dwejra Baai aan de westkant van het Middellandse Zee-eiland Gozo. De zee heeft hier in de klippen een enorm vierkant gat uitgehold, dat bekendstaat als *the azure window*, het blauwe venster. Cees Nooteboom schreef ooit dat als je naar een verre bestemming gaat, je lichaam per vliegtuig reist en je geest daar per stoomboot achteraan pruttelt. Zo ging het vroeger. Tegenwoordig reist je lichaam per vliegtuig, maar waart je geest dankzij het internet al weken rond op de plaats van aankomst. Over het eiland Gozo — waar ik tot voor kort nog nooit van had gehoord — is zo'n beetje alles te vinden. Iedere hoek van ons appartement konden we vooraf op internet inspecteren, we lazen over de ingewikkelde geschiedenis van het eiland, zochten de hotspots in de omgeving, bekeken menukaarten van door andere bezoekers aangeprezen restaurants, bezochten de zeegrotten in de omgeving en bedachten alvast welke excursies we konden doen en welke muziekvoorstellingen we zouden willen bijwonen.

Gozo is volgens een trotse reisgids 'het op een na grootste eiland van de Maltese archipel'. Dat klinkt heel wat, zij het dat die archipel uit maar drie eilanden bestaat. Gozo is het kleine rustige broertje van Malta en kent — meer nog dan Malta — een geschiedenis van overheersing, plundering, slavernij en verwoesting. De eilanden zijn tweeduizend jaar lang speelbal geweest van opkomende machten uit verschillende werelddelen. Noormannen, Fransen, Duitsers, Turken, zeerovers, Arabieren, slavenhandelaren, kruisridders, Italianen en Engelsen hebben het eiland ooit bezet, wat zijn weerslag heeft op de cultuur en de bevolking.

Van alle usurpators hebben de moslims de grootste stempel op het eiland gedrukt. Nog steeds spreken de Gozitanen een cocktailtaal van Arabisch, Tunesisch, Italiaans en Engels, en zijn veel plaats- en achternamen terug te voeren op de bezetting van de Saracenen. Fascinerend is hoe het mogelijk is dat de ene eeuw de Noormannen de dienst uitmaken in deze regio en vervolgens de Arabieren, Turken en Engelsen. Hoe lukt het een beschaving het ene tijdperk haar wil op te leggen aan de buren, om de periode daarop weg te zakken in vergetelheid?

Met deze vraag in gedachten lees ik het boek *Critical Mass* (2004), van de Engelse wetenschapsschrijver Philip Ball, over hoe het gedrag van individuen van invloed kan zijn op de wijze waarop landen worden bestuurd, steden zich ontwikkelen, paniek zich meester kan maken van een menigte, hoe verkeer kan vastlopen en economieën heen en weer schieten. Vanwege dat laatste onderwerp heb ik het boek meegenomen naar de Dwejra Baai, om in alle rust iets meer te kunnen vatten van die onbegrijpelijke crisis in de kredietwereld. We kunnen per dag acht kranten lezen en zes actualiteitenprogramma's zien, maar meer dan opgewonden zichzelf herhalende rampberichten en vluchtige analyses krijgen we niet voorgeschoteld.

Een fraai staaltje hoe het gedrag van individuen van invloed kan zijn op de situatie in een land vond ik in een van de reisgidsen over Gozo. De hoofdstad (5000 inwoners) heeft een roemrucht operagezelschap dat in de jaren zeventig een operazaal liet bouwen met een capaciteit van 1500 stoelen. Twee straten verderop zag een ander operagezelschap de aandacht voor zijn concurrent met lede ogen aan, tot ook zij besloten een operahuis neer te zetten. En zo kan de jaloerse eerzucht van een paar individuen ervoor zorgen dat een eiland met een bevolking van nog geen 30.000 man uitgroeit tot een toonaangevend operaparadijs dat plaats biedt aan 2700 operaliefhebbers. Zolang als het duurt.

Links

Op Gozo wordt links gereden, een erfenis van de Britse over-heersing. Op wat toeristische macrobioten na wandelt niemand op het eiland. Ook wij hadden vorige week een auto gehuurd, een soort doperwt met vijf deurtjes. In Nederland had ik me voorgesteld hoe het zou zijn om links te rijden, maar dat is hetzelfde als je voorstellen hoe een broodje zebra smaakt (naar paardenvlees, maar dan anders). Ik heb mijn rijbewijs halverwege de jaren tachtig gehaald. Omdat ik op mijn achttiende nog niet had gerookt, kreeg ik van mijn ouders duizend gulden om bij een rijschool een pakket rijlessen te kopen (en dan hield ik nog genoeg over voor een paar sloffen sigaretten). Over links rijden heeft mijn instructeur destijds niets verteld.

Het begon met de bestuurdersplaats. Die zit rechts. Vroeger had ik een huisgenoot die vertelde dat hij zich soms 's nachts met zijn verkeerde hand beroerde. 'Dan lijkt het net of een meisje het doet,' zei hij. Ik moest hieraan denken toen ik voor het eerst de versnellingspook van onze huurwagen vasthield.

Maar wat mijn hersenhelften het meest deed klapperen was het rijden zelf. Ik had mijn gezin opdracht gegeven om voortdurend 'links' te roepen, zodat ik dit tijdens de autorit niet abusievelijk zou vergeten. Zelfs onze tweejarige riep het mee: 'Inks! Inks!' Dat dit niet geheel overbodig was bleek toen ik na een stief kwartiertje op de linkerbaan, in een buitendorp ongemerkt een bocht rechts nam en rechts bleef rijden.

Het gevaarlijkste moment kwam toen ik na een paar dagen het links rijden redelijk begon te beheersen. Het was op een donkere bewolkte avond, we waren op weg naar een restaurant in een baaidorp genaamd Xlendi. Nu is het voor een minder dan gemiddelde automobilist als ik moeilijk om én links te rijden én de stroom vragen van mijn kinderen te beantwoorden én op de naamborden langs de weg te letten én de aanwijzingen van mijn vrouw te volgen.

Mijn vrouw gebaarde bij een kruispunt dat ik naar rechts moest, maar op dat moment riepen mijn kinderen links (inks), en dus ging ik rechtdoor. Gevalletje mislukte multitasking. Het leek me dat de weg rechtdoor ons ook naar de baai zou brengen, maar toen dit pad eerst steil omhoog ging, toen steil en scherp omlaag en daarna steeds minder geasfalteerd begon te raken, sloeg mijn twijfel toe. Het asfalt ging over in verhard gruis en de weg werd steeds smaller.

'Zullen we niet beter teruggaan?' vroeg mijn vrouw.

Het motortje maakte inmiddels het geluid van een zich verslikkende cavia. Ik stopte de wagen. In het aardedonker probeerde ik te kijken of ik ruimte had om te keren, want een scherpe bocht bergop in z'n achteruit leek me geen optie. Met het schermpje van mijn mobiele telefoon verlichtte ik de ruimte naast de wagen. Plotseling begreep ik dat we naast een afgrond stonden.

Op dat moment begon het te stortregenen.

'Wat nu?' vroeg mijn vrouw, alsof het mijn probleem was. Vijf minuten hebben we zitten overleggen wat we moesten doen, terwijl twee van onze kinderen huilend op de achterbank zaten en de derde alleen nog vrolijk 'inks inks' riep.

Godzijdank doemden er toen twee koplampen op in de achteruitkijkspiegel. Aan de lokale bestuurder vertelde ik dat we waren verdwaald en dat ik dit klifpad niet vertrouwde. Hij zei geruststellend dat ik nog maar een paar honderd meter verder hoefde om weer op asfalt te komen.

'*But keep right*,' riep hij me na, want links zat dus die peilloze diepte. Ik geloof niet dat ik ooit zo rechts heb gereden.

Monniken

Het is heel erg nacht in het gehucht Ghasri op het eiland Gozo. In een naburig dorp achter de heuvel blaft een hond tegen zijn echo, maar verder is het rustig. We slapen in een oud verbouwd klooster, waarvan de gele zandstenen zijn verweerd door de tijd.

Dan wordt er zachtjes geklopt op de deur van onze slaapkamer. Mijn vrouw draait zich murmelend om, en ik kijk naar de deuropening. Daar staan twee bedremmelde kinderen.

'Zij kan niet slapen,' zegt mijn zoon zuchtend, gebarend naar zijn zus. Die heeft tranen in haar verwilderde ogen. Bijna verwijtend kijkt ze me aan, en ze legt uit: 'Ik ben bang voor monniken.'

Aha. Uit ervaring weet ik dat ik dit niet af kan doen met een geruststellende opmerking of een grapje. Boos worden en hen wegsturen heeft ook geen zin. Sommige kinderen zijn bang van clowns, mijn dochter heeft het niet op geestelijken.

Even later liggen mijn kinderen weer in hun kamer, op de bovenste verdieping van de oude abdij. Ik dek mijn dochter toe. Ze huilt nog steeds en in de blik in haar ogen zie ik dat ze voorlopig nog niet van plan is hiermee te stoppen.

'Hebben in deze kamer ook monniken geslapen?' vraagt ze met een ondertoon van afschuw.

'Dat zou zomaar kunnen,' zeg ik. 'Maar weet jij eigenlijk wel wat monniken zijn?'

Mijn dochter schudt haar hoofd en trekt een vies gezicht.

'Ze hadden kappen over hun hoofd,' weet mijn zoon. 'Net als spoken.'

'Spoken?' zegt mijn dochter verschrikt.

Ik zucht. Dit wordt een lange nacht.

Vijf minuten later liggen we gedrieën op de luie ligstoelen bij het zwembad. Het is beter om hierbuiten even naar de sterren te kijken en tot rust te komen, dan in de kamer van de kinderen vruchteloos de angst voor kloosterlingen te verjagen.

De hemel is onbewolkt, de volle maan staat hoog boven ons. Regelmatig vallen er zwarte olijven uit de olijfboom. Mijn dochter is alweer vergeten dat ze net nog heel bang was voor haar onbekende demonen.

'Maar moesten die monniken dan geen geld verdienen?' vraagt ze geïnteresseerd.

'Nee, dat hoefden ze niet,' zeg ik. 'Ze woonden met z'n allen heel sober en ze verbouwden hun eigen groenten.'

'Kapucijnen toch?' zegt mijn zoon, die ergens een klepel heeft horen hangen. Mijn dochter wil weten wat sober is.

'Dat ze maar heel weinig nodig hadden en dat ze zichzelf ook niet verwenden.'

Mijn dochters grote ogen glimmen op in het maanlicht. Niet verwennen, ze kan zich er niets bij voorstellen.

'Mochten ze dan ook niet in het zwembad liggen?' vraagt ze, waarop mijn zoon iets te hartelijk begint te lachen.

'Er waren toen nog geen zwembaden.'

'Hoezo niet?' zegt mijn dochter terug, eerder boos dan vragend. Dan schiet haar gezicht in een andere stand.

'Pappa?' vraagt ze en uit haar intonatie begrijp ik dat er een Heel Belangrijke Vraag komt. 'Wat is bidden?'

Aha. Ik haal adem om antwoord te geven, maar mijn zoon is me voor. Hij springt op zijn knieën, vouwt zijn handen en sluit zijn ogen. 'Als je zo doet mag je alles vragen aan God.'

Mijn dochter zegt gnuivend dat ze niet in God gelooft.

'Maakt niet uit, je mag altijd bidden,' zegt mijn zoon, waarop mijn dochter aarzelend zijn houding imiteert.

'Wat bid je?' vraag ik.

Mijn dochter haalt haar schouders op.

'O gewoon, dat ik niet meer bang ben van monniken.'

Ik knik. Er valt een olijf naast het zwembad en in de verte blaft de hond tegen zijn echo.

Joseph

'Ze stinken allemaal.'

Mijn kinderen keken geschrokken naar de rug van de Turkse taxichauffeur. We waren op weg van Schiphol naar Utrecht en we praatten vrolijk na over een homo-echtpaar dat we hadden ontmoet. De chauffeur had bedacht zelf een bijdrage aan onze familieconversatie te leveren.

'Dat soort mensen krijg ik ook weleens in mijn auto,' ging hij verder. 'Je kan ruiken dat ze homo zijn. Ze stinken.'

Mijn kinderen waren onder de indruk. Zo vaak voeren ze geen gesprek met een heuse allochtoon; ze voelden zich erg maatschappelijk betrokken.

'U bedoelt dat ze soms naar aftershave ruiken?' probeerde ik de chauffeur subtiel te waarschuwen, maar hij was niet te stoppen.

'Nee, naar zuur. Het is iets biologisch. Homo's ruiken gewoon anders, scherp, vies. Zo herkennen ze elkaar.'

Om deze homofobe oprisping te compenseren keken we 's avonds met het hele gezin naar de finale van het AVRO-programma *Op zoek naar Joseph*. Ik kom uit een homovriendelijk milieu, bijna op het krampachtige af. Om niet aan stereotypen te voldoen zeiden mijn ouders consequent dingen als: 'Wanneer je later thuiskomt met een meisje, of met een jongen, dat kan natuurlijk óók.' Ze riepen dit zo vaak dat toen ik eenmaal schoorvoetend een vriendinnetje meenam, ze niet boos leken maar wel verdrietig (gelukkig voor hen heeft mijn zus in ons gezin de homo-eer hoog gehouden).

Op zoek naar Joseph is een met staatsgeld gesubsidieerde reclamespot voor een musical van Joop van den Ende. Mijn vrouw en kinderen bleken de serie al weken te volgen en ze verheugden zich op de apotheose. Ik keek voor het eerst mee, mezelf voor mijn hoofd slaand dat ik dat niet vaker heb gedaan, want ik heb in maanden niet zo gelachen.

Ik stelde me voor dat ik Wim de Jong was en dat ik verslag zou moeten doen van deze freakshow, waarin gezocht wordt naar een juiste kandidaat voor de hoofdrol. De panelleden van het programma deden een wedstrijd wie er het meest ontroerd en onder de indruk was.

Het kan niet anders dan dat *leading lady* Pia Douwes dit jaar een Theo d'Or wint voor haar fenomenale acteerprestatie als panellid. Zonder onderbreking volgde zij de zangprestaties van de kandidaten huilend, bibberend, wiegend, amechtig zuchtend, meelevend, trillend, soms zelfs bijna orgasmerend.

'Het heeft me ongelooflijk geraakt,' zei ze na zo'n beetje ieder liedje. Mij ook hoor, mij ook. Ik zat ook echt te gillen op de bank.

'Ik verstond je soms niet, maar ik hoorde je ogen,' zei ze tegen kandidaat Roy, een uitspraak waar menig dichter jaloers op zal zijn.

Heerlijk waren ook de beelden van panellid Paul de Leeuw, die voortdurend keek alsof hij vergeten was om voor de uitzending nog even naar het toilet te gaan. Ondanks zijn dwarse drolletje luisterde hij diepgeroerd naar een Joseph die zong: 'Vailag sta ik hier. Hondardan gezichtan, duizand tredan naar benedan, naar buitan.'

Hoogtepunt van dit emotoilet, deze stortbak van homoseksueel innuendo, waren de oprispingen van de 'musicaltycoon' Willem Nijholt, die er half dementerend bij hing en louter geïnteresseerd leek in de vraag wanneer de bezorger van Tafeltje Dekje langs zou komen voor zijn warme prak.

De uitslag van de wedstrijd hebben mijn kinderen zondag

niet meer meegemaakt, want die kwam pas later op de avond.

'Stinken homo's echt?' vroeg mijn dochter, toen ze haar tanden had gepoetst. Blijkbaar had de allochtoonse chauffeur indruk gemaakt.

'Nee natuurlijk niet,' zei mijn vrouw.

'Hij rook zelf naar knoflook,' zei mijn dochter, waarop mijn zoon zijn borstel uit zijn mond haalde en moeizaam toevoegde: 'Ja, zo herkennen ze elkaar.'

Goede manieren

65 procent van de Rotterdammers dacht in 2003 dat Erasmus de ontwerper was van de Erasmusbrug. Om de onbekendheid van 's Neerlands bekendste filosoof en humanist te bestrijden werd eergisterenavond — op de vermoedelijke geboortedag van de filosoof — in Rotterdam het Erasmushuis geopend. Dat is een 'educatief publiekscentrum' waar bezoekers zich kunnen verdiepen in het gedachtengoed van Gerrit Gerritszoon, zoals Desiderius Erasmus eigenlijk heette.

Erasmus, schrijver van de eerste bestseller na de introductie van de boekdrukkunst, zal hopelijk vooral worden herinnerd vanwege zijn ook nu nog zeer lezenswaardige boeken. Voor velen is de monnik een boegbeeld van humanisme, naastenliefde en tolerantie, waarbij als kleine kanttekening kan worden geplaatst dat hij het niet had op Joden. Erasmus zag het Jodendom als 'de verderfelijkste plaag en bitterste vijand van de leer van Jezus'. Hij wilde zelfs het Oude Testament als heilig boek opgeven om het Joodse juk in te dammen. Historici en bewonderaars bagatelliseren dit 'licht antisemitische' — zoals Herman Pleij het noemt — en zeggen dat Erasmus zich aanpaste aan de toenmalige cultuur.

Een andere kanttekening is dat de Rotterdammer een ziedende hekel had aan Turken. Wat heden ten dage islamitische Marokkanen zijn voor Geert Wilders, waren islamitische Turken voor Erasmus, om die twee denkers maar eens met elkaar te vergelijken. Erasmus schreef zelfs een pamflet in briefvorm (de *Turkenkrijg* uit 1530, nog verkrijgbaar bij de boekhandel), waarin hij aan een Keulse vriend uitlegde dat de goddeloze

Turk geen mens was maar een beest dat de beschaving probeerde te ondergraven. 'Willen we ze eens en voorgoed van ons afschudden, dan zullen we toch eerst het ergste soort Turken uit onze geest moeten verdrijven,' schreef hij.

De grootste aanslag op de beschaving zag Erasmus bij kinderen en jonge mensen. Ooit liep hij op straat met een paar eminente lieden, en hij ergerde zich mateloos aan de ongemanierdheid van jeugdige omstanders. Op een oude man na bejegende niemand Erasmus zoals het destijds hoorde. Dit kwam omdat veel ouders hun kinderen niet meer opvoedden zoals dat in vroeger tijden zou zijn gebeurd (grofweg vijfhonderd jaar na dato nog steeds een actuele gedachte).

En daarom schreef Erasmus een verhandeling genaamd *De civilitate morum puerilium libellus* (1530), een handboek over goede manieren voor kinderen. Een Nederlandstalige editie is niet meer leverbaar, maar twee weken geleden verscheen een prima te volgen Engelse vertaling. Zeer humoristisch en scherp geeft Erasmus tips aan een elfjarige jongen over hoe die zich in gezelschap dient te gedragen.

De jongeman kan het best even hoesten als hij een wind moet laten, want ophouden is niet gezond. Als zijn neusgaten vol snot zitten (zoals bij Socrates bijvoorbeeld altijd het geval was), dan moet hij zijn neus snuiten in een zakdoek en niet in zijn kleren! Knipogen kan hij maar beter overlaten aan de tonijn, en de lippen tuiten zoals Duitsers dat doen is ook uit den boze. Ook moet hij iedere dag zijn tanden poetsen, maar niet met urine, zoals Spanjaarden dat gewend zijn. Zijn haar moet hij netjes en normaal dragen, want een beschaafd mens ziet er niet uit als een dartel geblondeerd paard.

Erasmus eindigt zijn boek met een spreuk die hij van het grootste belang acht: 'Het voornaamste van goede manieren is dat je bereid moet zijn de fouten van anderen te negeren, en zelf zo min mogelijk tekort moet schieten.' Lijkt me een diepdoorleefde wijsheid van een echte bruggenbouwer.

De baas van Amerika

Een van de bekendste uitspraken van Joop den Uyl is: 'Het wordt nooit meer zoals het is geweest.'

Vanmorgen, precies tweeëntwintig jaar en een dag geleden, zat ik met mijn ouders aan onze ontbijttafel. Ik was tien jaar oud, maar dat was geen belemmering om met mijn zus van zeven en mijn ouders mee te discussiëren over actuele kwesties. De politiek was in ons gezin een onuitputtelijk onderwerp.

We beleefden gloriejaren. De FNV was dat jaar opgericht, wat mijn vader als vakbondsman had toegejuicht, al vond hij het jammer dat de socialisten van de NVV nu hand in hand moesten opereren met die huichelaars van de NKV.

Ook de Rooie Vrouwen, waarin mijn moeder bijna overdreven actief was, lieten zich in 1976 veelvuldig horen. Zo was er de roemruchte bezetting van de Bloemenhove-kliniek, een abortuscentrum dat de toenmalige minister van Justitie, Dries van Agt, had willen sluiten. Nimmer was de Vrouwenbeweging zo alomtegenwoordig.

Maar wellicht de aan onze keukentafel meest besproken politieke prestatie was het elan dat Joop den Uyl uitstraalde. 'De baas van Nederland' zoals hij in de kindersemantiek van mijn zus en mij werd genoemd. Idealistisch, bevlogen, maar ook provocerend en polariserend had Den Uyl het land geloodst door de oliecrisis, de Lockheed-affaire en de onafhankelijkheid van Suriname.

De grootste smet op zijn regering tot dan toe was de Molukse treinkaping bij Wijster, in de koude decembermaand van het jaar daarvoor. Ik herinner me de sinterklaasavond destijds. Er waren pakjes en pepernoten, maar feestelijk wilde de stemming niet worden, omdat mijn ouders — net als de rest van Nederland — waren lamgeslagen door de moord op een machinist en twee passagiers.

In 1976 was het land ongewis van het komende, nog bloediger Molukse geweld. Ook de eclatante overwinning van Joop den Uyl tijdens de naderende Tweede Kamerverkiezingen moest nog geschieden. De PvdA zou daarbij tien zetels winnen en uitkomen op het nu niet meer voor te stellen aantal van drieënvijftig Kamerleden (en desondanks kwam er geen kabinet-Den Uyl II).

En zo zaten we op 3 november 1976 met het gezin aan boterhammen met bebogeen en tevredenheid. Hilversum I bestond nog wel en de zender maakte bekend dat de Democratische pindaboer Jimmy Carter de Amerikaanse presidentsverkiezingen had gewonnen. Een scharnierpunt in de geschiedenis. Met slechts 50,1 procent van de stemmen had hij de zittende president Gerald Ford verslagen. Mijn ouders moeten verrukt zijn geweest: eindelijk was de westerse wereld bevrijd van het Republikeinse rechtse juk. Het was tijd voor verandering, voor nieuwe geestdrift.

Ik herinner me dat mijn zus en ik hierna van ons toen nog nieuwe nieuwbouwhuis naar school liepen, dat andere schoolkinderen zich bij ons aansloten, dat we allemaal het goede nieuws hadden gehoord, en dat we met jeugdig enthousiasme zijn gaan scanderen. 'Carter!' Klapklapklap. 'Carter!' Klapklapklap.

Mijn oudste zoon is tien, mijn dochter acht. Politiek is ook in ons gezin een overheersend gespreksonderwerp, wat niet zozeer aan mijn vrouw en mij ligt, als wel aan onze kinderen, dankzij *Kidsweek* en *Jeugdjournaal*. Ze maken zich zorgen over de kredietcrisis, Uruzgan en de integratieproblematiek, en ze zijn beiden groot aanhanger van Barack Obama. Ik hoop voor hen dat hun politieke held vannacht zijn rechtse tegenstander zal verslaan, al is het met een marge van 0,1 procent. Als dit gebeurt weet ik dat ze er morgenochtend, lopend naar school, een kleine kinderdemonstratie van zullen maken om de nieuwe baas van Amerika te ondersteunen. Hoewel het nooit meer wordt zoals het is geweest, kan ik hun gescandeer al horen. 'Obama!' Klapklapklap. 'Obama!' Klapklapklap.

Obama-moeheid

Oudejaarsavond valt altijd tegen, mijn laatste uitzinnige Koninginnenacht kan ik me niet meer herinneren en na het verlies van Oranje tegen de Russen heb ik gezworen dat ik mijn hoofd nooit meer op hol laat brengen voor een wedstrijd van het Nederlands elftal — en toch sta ik ieder jaar tegen beter weten in steevast appelflappen te bakken, verkopen we op 30 april rommel ter ere van Beatrix en laat ik de leeuw niet in zijn hempie staan.

Hetzelfde geldt voor de Amerikaanse presidentsverkiezingen, een traditionele Nederlandse feestavond. De twee voorlaatste verkiezingsnachten eindigden in een gruwelijke deceptie, wat niet wegneemt dat ik tot in de late ochtend heb zitten kijken, beide keren plechtig belovend dat ik de volgende keer werkelijk mijn bed zou zoeken.

Desondanks zat ik ook afgelopen dinsdag weer trouw voor de buis, dit keer met twee gezinnen en aanloop. Ik begreep dat duizenden Nederlanders gezamenlijk hebben gekeken en dat er zelfs zalen waren afgehuurd. Misschien is het voor de regering een idee om van de woensdag na de General Elections een vrije dag te maken, opdat iedereen kan opblijven en uitslapen (daar ruil ik althans graag een pinksterdag voor in).

Onze vrouwen hadden zich uitgesloofd om de sfeer zo Amerikaans mogelijk te maken, met schotels met *macaroni-and-cheese*, *Caesar salad*, brownies, muffins, hotdogs, popcorn, milkshakes, nachochips en gegratineerde mosselen (als een knipoog naar de fameuze Amerikaanse *clam chowder*).

En we dronken bourbon, omdat in Utrecht al het bier uit de Verenigde Staten was uitverkocht.

Om een uur of twaalf was de huiskamer van onze vrienden getransformeerd in een heuse Situation Room. Er waren twee tv-schermen, twee laptops met de meest actuele berichten van verschillende Amerikaanse nieuwssites, er werd druk gesms't en overal lagen kranten en naslagwerken.

Ik kon het niet laten: de afgelopen weken heb ik voor de zoveelste keer mijn rits boeken over de Amerikaanse verkiezingen herbladerd. *The Selling of the President* van Joe McGinniss, *The Making of the President* van Theodore White, *What It Takes* van Richard Ben Cramer, *Fear and Loathing: On the Campaign Trail '72* van Hunter S. Thompson en natuurlijk *The Boys on the Bus* van Timothy Crouse, over de bovengenoemde politieke journalisten.

Wij voelden ons afgelopen dinsdagnacht the boys in the livingroom, schakelend tussen CNN, BBC en Nederland 1, discussiërend over het Bradley-effect (blanken die zeggen op een zwarte te zullen stemmen, maar dat niet doen), het omgekeerde Bradley-effect (blanken die niet op een zwarte zeggen te stemmen, maar dat wel doen), over de tragiek van president Bush (die van zijn Grand Old Party niet eens in het openbaar mocht gaan stemmen) en over de vraag of bij de volgende verkiezingen Hans Teeuwen een verkiezingsnachtconference zou moeten houden in plaats van te croonen.

Toch was er een verschil met voorgaande *election nights*. Terwijl we het afgelopen decennium heen en weer werden geslingerd tussen zenuwachtige hoop en wanhoop, konden we bij deze verkiezing de overwinning van Barack Obama mijlenver zien aankomen. Dit had tot gevolg dat de spanning ver was te zoeken, en zelfs een Obama-moeheid begon toe te slaan.

En daarom sukkelden eerst de girls en later ook de boys langzaam in slaap. Ook ik heb, tegen mijn voornemen in, de bekendmaking van de uitslag niet gehaald. Toen ik weer wakker werd hoorde ik bij *Goedemorgen Nederland* Maxime Verhagen voorhuigs hijgen 'sjeens wie niet', en toen ik had uitgedokterd waar dat op zou kunnen slaan, feliciteerde Jan-Peter Balkenende namens de Nederlandse regering 'Brak Obma' van harte. Het verhaal van mijn leven: gebeurt er een keer echt iets historisch, slaap ik de slaap der onnozelen.

Dissen

Het verschijnsel is ontstaan toen in de jaren tachtig sprin-
gende rapnegers elkaar begonnen te beledigen en uit te dagen.
Een diss betekent volgens *Van Dale* 'disrespect betonen'; een
van de beroemdste voorbeelden hiervan is de aanval van rapper Tupac Shakur op rapper The Notorius B.I.G., die op zijn
beurt reageerde met venijnige tegenstoten. Beide mannen zijn
niet lang na hun aanvaring onder onduidelijke omstandigheden vermoord.

Het publiek is verzot op dissen, dat overigens niet alleen
in de hiphopscene voorkomt en zeker niet nieuw is. Ook in
een hoogbeschaafde wereld als die van de Nederlandse literatuur zijn schrijvers als Van Deijssel, Hermans, Reve, Komrij
en *grand old lady* Jeroen Brouwers elkaar krijgslustig te lijf
gegaan, al noemden zij het polemiseren. Dissen is ons namelijk ingeschapen.

Afgelopen vrijdagavond deed Freek de Jonge tijdens *Pauw &*
Witteman een poging misdaadverslaggever Peter R. de Vries
uit te dagen. De laatste was uitgenodigd om te komen egotoe-
teren over de val waarin hij Joran van der Sloot nu weer heeft
laten lopen. Ditmaal legde De Vries met de verborgen camera
vast hoe Joran voorbereidingen trof om Thaise meisjes naar
Nederland te halen. Althans, dit deed hij op uitnodiging van
een medewerker van Peter R. de Vries.

Witteman vroeg Freek wat hij van deze actie vond. Er volgde
een fraaie aanvaring, als je er tenminste van houdt hoe apen
met elkaar omgaan. Bioloog Frans de Waal heeft in *Chimpan-*

seepolitiek lezenswaardig beschreven hoe apen zich tijdens onderlinge schermutselingen gedragen. Bij een eventuele herdruk kan de diss van Freek zo als illustratiemateriaal dienen.

Ver voor zijn aanval zat de cabaretier zich op te winden en zichtbaar voor te bereiden. Hij maakte primaatachtige schommelbewegingen en keek afkeurend naar zijn overbuurman. Vol misprijzen gromde hij toen Peter vertelde dat hij er niet over had gedacht om Joran daadwerkelijk een strafbaar feit te laten plegen en een onschuldig Thais meisje voor niets naar Schiphol te laten komen. 'Dat vond ik onmenselijk,' zei De Vries.

'Ik vind het weerzinwekkend allemaal,' begon Freek zijn aanval, hiertoe uitgenodigd door Witteman, die door leek te hebben dat Freeks nekharen overeind stonden. Opvallend was dat Freek tot dat moment voortdurend strak naar Peter R. de Vries had gekeken, maar dat hij tijdens de diss z'n blik angstig naar alle hoeken wendde, behalve naar waar zijn opponent zat. Wetenschappers noemen dit een vorm van conflictregulatie, want aankijken kan leiden tot directe fysieke agressie (zoals iedereen weet die weleens in de metro zit).

'Het is heel erg dat Joran zoiets doet, maar om daar dan amusement van te maken dat is natuurlijk helemaal *disgusting*,' zei Freek, waarna hij 'steunwervend gedrag' vertoonde richting Witteman. Conflicten tussen apen worden vaak beslecht door de bemoeienis van derden, en coalitievorming is hierbij essentieel.

Bevangen door woede en gespeend van de relativering en humor die je van een cabaretier mag verwachten, verloor De Jonge zich vervolgens in beledigingen van kijkersgroepen en denigrerende opmerkingen over de Emmy Award van De Vries. Toen hij vervolgens stelde dat de misdaadverslaggever een laffe reporter was, maar daarbij niet over de juiste informatie bleek te beschikken, sloeg het alfamannetje De Vries terug.

Kalm en met volgezogen longen diende hij het bibberende aanvallertje van repliek. Tussen volwassen mannetjes treden regelmatig felbevochte dominantiewisselingen op. De charge van Freek leek bedoeld om Peters te hoog gestegen positie in de groep te ondermijnen, maar dit doel bereikte hij niet. Freek werd door Witteman gered met de vraag of hij een mopje wilde zingen, een vraag waar hij opgelucht giechelend op inging. Ethologen noemen dat een geritualiseerde onderdanigheidsbetuiging.

Jij bent bijzonder

Sommige schrijvers sluiten zich op in hun werkkamer en andere ontvluchten die het liefst. Ik hoor tot de eerste groep, al ontkom ik er niet aan om zo nu en dan de boer op te gaan.

Zo bracht een lezing mij eergisteren naar een kasteeltje in Sint-Oedenrode. Op het gevaar af ik dat ik mijn eigen onnozelheid rondwapper: eerlijk gezegd dacht ik dat Sint-Oedenrode de carnavalsnaam was van een of ander Brabants plaggendorpje, zoiets als Oeteldonk of Stampersgat. Sint-Oedenrode blijkt daadwerkelijk Sint-Oedenrode te heten.

Om de dagelijkse files bij Utrecht-Oost, Utrecht-Noord, Houten, Everdingen, Culemborg, Bommel, Den Bosch en Vught voor te zijn vertrok ik al in de vroege middag naar het plaatsje, dat ligt in een hoek van Noord-Brabant die de Meierij wordt genoemd. Ik was klaar voor een diepe duik in een mij onbekend gebied.

In gespannen afwachting parkeerde ik mijn auto op de Markt (de Mèrt), tegenover een vervallen gebouw dat de Gouden Eeuw heet. Sint-Oedenrode, Rooi voor intimi, oogt niet alsof de Gouden Eeuw er voor buitensporig veel welvaart heeft gezorgd. Ik maakte een korte wandeling door het kleine bescheiden centrumpje. Na nog geen minuut stond ik oog in oog met het Brabants Mutsenmuseum, gevestigd in een hofje dat van 1434 tot 1972 werd bewoond door 'behoeftige weduwen en alleenstaande vrouwen van onbesproken gedrag'. Behoeftige weduwen met Brabantse mutsen... Mijn reis was nu al geslaagd.

Tegenover de kerk zag ik vervolgens een drogisterij genaamd Henk van der Doelen. In de lichtbak onder zijn naam had de drogist de tekst 'Jij bent bijzonder' laten zetten. Ik denk dat ik een minuut naar die tekst heb staan kijken. Het trof me dat ik helemaal naar Rooi had moeten rijden om dat eindelijk eens te lezen. Maar wat bedoelde Henk met zijn boodschap? Hoopte hij zo meer tandpasta, lubrigel en doucheschuim te verkopen? En hoe bijzonder ben je als iedereen die langs dat bord loopt óók bijzonder is?

In verwarring haalde ik bij de vvv folders en *De Rooise Krant*, het weekblad van de omgeving. Vermoeid stelde ik vast: hoe heb ik al die jaren kunnen leven zonder deze uitgave?

Tijdens een maaltijd bij brasserie De Beleving verlustigde ik mij aan het leven in dit dorp, dat mij ontspannen en verpozend voorkwam. Rooienaren maken zich druk over een autovrije Heuvel en de herinrichting van de Borchmolendijk. Motorclub D'n Dommel bestaat vijftien jaar, en binnenkort neemt een nieuwe prins de scepter over van prins Edward Pap d'n Urste.

Waar was ik toen woensdag 5 november de leden van wijkvereniging Eerschot hun geluk beproefden met kienen? Waarom heb ik er op 7 november niet even aan gedacht Frank van Damme en Judith Stofmeel te feliciteren met hun huwelijksbootje, dat die dag uitvoer?

Er is veel waar we geen weet van hebben. Er wordt regelmatig gebierfietst — wat dat ook mag zijn — bij café D'n Toel en de in het voorjaar aangelegde brug in het Dommelpark blijkt bij regen veel te glad, ondanks de veiligheidsstrips op de beplanking. Er zijn mensen gevallen, waarschijnlijk omdat de brug niet recht maar schuin wordt aangereden. En even een vraagje: wie heeft dinsdag 28 oktober na de 'neem-lezing' in de Beurs de verkeerde leren jas meegenomen? Dan graag even contact!

Na mijn maaltijd wandelde ik terug naar mijn auto, langs de drogisterij van Van der Doelen. Ik las de tekst op zijn lichtbak, en even liet ik mij vertederen door een weemoed naar werelden die ik niet ken en dingen die ik niet heb meegemaakt.

Nepnegers

Afgelopen zaterdag nam ik mijn kinderen mee naar de sinterklaasintocht bij de Utrechtse Bemuurde Weerd. Onze jongste van tweeënhalf ging dit jaar voor het eerst mee, ongewis van de bak vrolijkheid die hem stond te wachten.

Terwijl de andere kinderen uitgelaten in de massa opgingen, nam ik met mijn dreumes op mijn schouders plaats bij een reling aan het eind van de Oude Gracht. Van voorgaande jaren wist ik dat de rimpelige volksvriend onder deze brug door zou varen. Voorlopig was de enige andere toeschouwer een strenge mevrouw met een rode map, een oranje vlaggetje en een grote telefoon. Ik vroeg of ze van de gemeente was.

'Nee,' zei ze met een blik alsof ze was veroordeeld tot een taakstraf, 'ik ben vrijwilliger.'

Hierna tuurde ze strak in de richting waar de stoomboot weldra zou arriveren. Ik knikte en tuurde met haar mee. Op de gracht liepen een paar mafkezen met pepernoten te strooien, wat mijn zoontje gefascineerd gadesloeg.

'Dat zijn Zwarte Pieten,' hoorde ik mezelf uitleggen, en ik herinnerde me een voorval van zeven jaar geleden. In een café zagen we een neger, zoals dat toen nog heette. Mijn oudste zoon keek verheugd naar ons op en gilde: 'Mamma! Pappa! Daar zit Zwarte Piet!'

Hoe reageer je in zo'n geval? Ik gaf mijn zoon een vuistslag en mijn vrouw plantte voor de zekerheid haar knie in zijn gezicht. Althans, dat deden we met onze blikken. Ik keek verontschuldigend naar de man, die vermoeid terugknikte. Het leek me dat het niet de eerste keer was dat hij voor Zwarte Piet was uitgemaakt.

Dit voorval legde ik later tijdens een interview voor aan de donkere tv-presentatrice Sylvana Simons. Ze vertelde dat ze weinig moest hebben van de pluizige bejaarde met zijn olijke slaafjes. 'Ik doe er niet aan mee,' zei ze, 'ik vind het helemaal niet leuk, maar ik weet niet of dat komt omdat Zwarte Piet zwart is en Sinterklaas wit. Misschien vind ik het als feest niet leuk.'

Sergio, een pikzwarte Surinaamse kroegkennis, was meer uitgesproken. 'Ik heb zo'n verschrikkelijke schijt aan Zwarte Piet. Ik háát die nepneger. Ik háát deze periode,' zei hij destijds, een uitspraak die mij aan het twijfelen bracht.

Sergio's verzuchting ontlokte in onze kennissenkring opmerkelijk felle discussies. Kinderen zijn kleurenblind, zei iemand. Kinderen zijn makkelijk te indoctrineren, zei een ander. Donkere mensen moeten zich niet aanstellen, beweerde iemand bleek. Het is traditioneel Nederlandsch cultuurgoed. Zwarte Pieten zijn niet terug te voeren op negers, maar op Italiaanse schoorsteenvegertjes. Pieterbazen staan voor 'de duivel'. Enzovoort.

Aanstellerij of niet: ik vind het een vervelend idee dat lieden die donker geschminkt zijn geschapen aanstoot kunnen nemen aan zoiets onschuldigs als een kinderfeestje.

Nou ja, kinderfeestje... Kinderen waren tijdens de Utrechtse intocht als vanouds weer ver in de minderheid, want het samenzijn leek vooral bezocht door hulpkinderen (ik heb het over voordringmoeders, midlifepappa's, treurtantes en goedmaakopa's).

Toen Sinterklaas in een sloep — niet eens een stoomboot — kwam aangevaren met zijn horde zwarten, begon de strenge hulpambtenaar verbeten te zwaaien met haar oranje vlaggetje. De Sint moest wachten op toestemming om de brug onderdoor te mogen, en dat gaf de Pieten de tijd te dollen met de inmiddels vele omstanders op de brug.

'Hé Obama!' riep een grappige vader naar een lange magere Piet op de voorplecht van de boot. De menigte om ons heen schaterde het uit.

'Piet *elect*!' riep hierop een andere vader, en weer bulderde iedereen. Zelfs het jongetje op mijn schouders hoorde ik onbedaarlijk gillen van plezier.

Victorie

De buitenwereld heeft vaak een romantisch beeld van schrijvers, een beeld dat weer eens hilarisch werd bevestigd in een interview met de Franse auteur Frédéric Beigbeder (de Volkskrant, 18 november). Het fantastische leven van succesvolle schrijvers spreekt de massa blijkbaar tot de verbeelding. Schrijvers schrijven niet, maar drinken, feesten, musiceren en discussiëren tot diep in de nacht, het liefst met mooie jonge spetters aan hun zijde en vergezeld van rijke Russische industriëlen of hedonistische mecenassen. De mythe van het grootsche en meeslepende schrijversbestaan.

Dit romantische beeld slaat natuurlijk nergens op, al moet ik toegeven dat ik — begeesterd door de woorden van Beigbeder — dinsdagnacht ook in het uitgaansleven verzeild ben geraakt. En dan heb ik het niet over een Parijse discotheek of een Moskouse hotspot, maar over het Groningse oudbruine café-biljart Wolthoorn, waar ik terechtkwam in het gezelschap van studenten en maar liefst drie schrijvers die het afgelopen jaar hebben gedebuteerd met een roman.

Voor wie het per se weten wil: volgens schattingen zijn ongeveer zeshonderdduizend Nederlanders bezig met het schrijven van een debuutroman. Van deze groep worden er per jaar ongeveer vijftig ontdekt door een serieuze uitgeverij. Dit is een stabiel aantal; al jarenlang dingen vijftig nieuwkomers mee naar debuutprijzen. Een simpele rekensom leert dus dat er de afgelopen veertig jaar ongeveer tweeduizend gepubliceerde romanschrijvers bij zijn gekomen. Trek daar degenen die ons ontvielen en degenen die zijn gestopt of gefnuikt van af, en je houdt een verdomd kleine beroepsgroep over.

Voor het boekenvak is het natuurlijk onmogelijk om jaarlijks vijftig nieuwe schrijvers te verwelkomen. Niet iedere roman wordt direct lovend besproken, niet iedere debutant mag bij *Pauw & Witteman* komen kwetteren over zijn glorieuze intree in de letteren. Na een jaar of vijf blijkt dat slechts een handjevol debutanten van één lichting de harde ratrace heelhuids is doorgekomen, de rest is weggezakt in het drijfzand van de vergetelheid, hoe onterecht ook.

Het is de harde werkelijkheid: de wereld is vaak onaardig voor nieuw talent. Noem het de tragiek van de onbesproken debutant. Jarenlang heeft hij gezwoegd op een meesterwerk, om vervolgens maandenlang te wachten op aandacht, een bespreking, een teken van leven, een aardig woord in de krant die hij dagelijks leest.

Zo waren alle drie de debutanten met wie ik dinsdagnacht aan de toog hing maanden na de verschijning van hun romans nog niet gerecenseerd in *de Volkskrant*, en wie dat niet zelf heeft ondervonden weet niet hoe vernederend dat is. Twee van de schrijvers waren goddank wel besproken in NRC *Handelsblad*, wat de pijn een beetje verzachtte.

Nu zou je kunnen zeggen dat het onmogelijk is om te voorspellen welk debuut succesvol wordt en welk niet, maar dit is onjuist. *Volkskrant*-critica Daniëlle Serdijn is afgestudeerd op de vraag welke debutanten een grotere overlevingskans hebben, waarbij zij met alle mogelijke factoren rekening hield, behalve met literaire kwaliteit (want die is niet wetenschappelijk meetbaar). Het blijkt dat schrijvers die 'vrienden' hebben in de literatuur vaker doorbreken dan de eenzamen en buitenstaanders.

'Het nieuwe heeft vrienden nodig,' zei ik afgelopen dinsdagnacht tegen een van de drie sombere debutanten. Dat was voordat ik stomdronken op de biljarttafel probeerde aan de

kroonluchter door het café te zwaaien. Grootsch en meesle-
pend deed ik de jongen een plechtige toezegging, en zoals iedereen weet: kroegbelofte maakt schuld.

Welnu.

Coen Peppelenbos is een schrijver uit het verre Groningen.
Afgelopen zomer verscheen zijn debuutroman bij De Arbei-
derspers. Het boek is *a good read*, een politieke zedenschets,
een thriller en een relatiedrama ineen. Het ligt bij iedere goede boekhandel en het heet *Victorie*.

Waterkandidaten

Romeinen dachten dat iemands naam iets zei over diens lot. Ze hadden hiervoor de uitdrukking *nomen est omen* (de naam is een voorteken). Vroeger had *Het Parool* een geinig rubriekje onder deze titel. Lezers konden voorbeelden insturen in de trant van: verfhandel Van der Kwast, chirurg dr. Snijders, dierenarts Hamster, tandarts Vullings en dhr. Roke, adviseur Gevaarlijke Stoffen van de brandweer in Utrecht. Echte voorbeelden. Mijn moeder had destijds een rolstoelleverancier genaamd Beenhakker en een voetbalkenner vertelde me dat de KNVB een manager juridische zaken in dienst heeft genaamd Boetekees.

Je zou geneigd zijn te denken dat deze lachwekkende verbanden louter berusten op toeval, maar psychologen over de hele wereld houden zich al decennialang bezig met de vraag of dit wel zo is. Zo blijkt uit Amerikaans onderzoek dat er wel degelijk een correlatie is tussen namen en beroepen. Onbewust zouden mensen worden aangetrokken door beroepen die iets met hun naam te maken hebben.

Onderzoekers bekeken onder andere een willekeurige lijst van tweehonderd collega's. Een onderwaterarcheoloog heette Bass (baars), een relatiebemiddelaar Breedlove (kweek liefde), een gynaecoloog Hyman (hymen betekent maagdenvlies) en een psycholoog die gespecialiseerd was in hooggespannen verwachtingen van ouders Mumpower. Wie meer over dit fascinerende onderwerp wil weten leze *Quirkology* van psycholoog Richard Wiseman, een wijze man.

Er blijkt niet alleen samenhang te zijn tussen beroepen en

namen, maar ook tussen namen en psychische problemen. Bij mensen met 'normale' voor- of achternamen wordt significant minder vaak de diagnose 'psychotisch' gesteld dan bij mensen met een ongebruikelijke naam. Namen kunnen — onbewust — mensen tot grote last zijn. Zo kampen mensen die Klein, Kort of Krom heten vaker met minderwaardigheidsgevoelens dan je op grond van toeval zou mogen verwachten.

Onvoorstelbaar is ook de uitkomst van een onderzoek van de universiteit van Californië uit 1999: mensen met zeer positieve initialen leven langer dan mensen met zeer negatieve lettercombinaties. Mannen die afgekort ACE (uitblinker), HUG of JOY heten, leven gemiddeld vierenhalf jaar langer dan mannen met de initialen PIG, BUM of DIE (voor vrouwen was er wel een positief, maar geen negatief effect).

Helemaal hilarisch is het resultaat van het onderzoek dat de sociaal psycholoog Brett Pelham van de universiteit van New York deed naar het effect van namen op woonplaatsen, carrières en zelfs politieke voorkeur. Geloof het of niet, maar er wonen in Florida veel meer vrouwen genaamd Florence dan in Nevada. Mannen die George heten kiezen Georgia als woonplaats, en in Kentucky wonen meer Kenneths dan in Miami. De voornamen van Amerikaanse tandartsen beginnen vaker met de letters Den (van *dentist*) dan met de letters Law, waarmee de voornamen van Amerikaanse juristen (*lawyers*) vaker beginnen.

Ik kom op deze wetenschap omdat vandaag de stembussen sluiten voor de Waterschapsverkiezingen 2008. Toegegeven, aanvankelijk wilde ik het stembiljet bij het oud papier leggen, maar toen ik bekeek wie er op de kandidatenlijst stonden, ging ik toch overstag. Ik besloot om op een onorthodoxe manier een keuze tussen de watervertegenwoordigers te maken, met uitsluiting van de SGP-, CDA- en ChristenUnie-kandidaten (als God Zijn waterhuishouding beter had geregeld was die hele verkiezing überhaupt niet nodig geweest).

Een korte inventarisatie leerde dat maar liefst een op de tien achternamen van kandidaten in mijn Hoogheemraadschap gerelateerd was aan water. Het lag voor de hand om op kandidaat Boot van Water Natuurlijk te stemmen, hoewel voor die partij Blokdijk, Odijk en vooral Zeefat goede alternatieven waren. Manderstroom viel af (SGP), maar Boegborn, Veerman, Van der Zee en Van der Stroom maakten een goede kans. Uiteindelijk koos ik voor Van der Nat van de PvdA. Riet heet ze, een goed voorteken.

De dood van een elfjarige

Sinds ik kinderen heb speelt de dood een rol in mijn leven. Berichten over sterfgevallen raken mij meer dan in mijn voorkinderse jaren, zeker als er jonge mensen bij betrokken zijn.

Afgelopen weekend gebeurde er een ongeluk op de A28 waarbij een personenwagen botste op een touringcar. Drie inzittenden van de auto — twee ouders en een dertienjarige dochter — overleden in het ziekenhuis. Het jongste kind, een jongen van elf, leek de botsing te overleven, maar afgelopen dinsdag stierf hij alsnog. Ik las dit op de site van *Elsevier*, waar ik op zoek was naar iets anders.

Mijn eerste reactie was: misschien maar beter zo. Je zult elf jaar zijn, half verlamd wakker worden in een ziekenhuisbed, en te horen krijgen dat je ouders en zus er niet meer zijn.

Deze gedachte las ik terug bij vele 'reacties' onder het bericht bij *Elsevier*. Zo schreef een lezer genaamd Cocx: 'Mijn medeleven voor de familie, sterkte en bewaar de mooie herinneringen. Maar gelukkig voor dat kleine ventje, hoe zou zijn leven er hebben uitgezien?'

Niet iedereen heeft een column tot zijn beschikking om gevoelens te uiten, maar ik vraag me wel af wat iemand beweegt om 'bewaar de mooie herinneringen' op zo'n pagina achter te laten. Voor wie en waarom wordt zoiets geschreven?

Waren het alleen de lezers van *Elsevier* die met een bijna aandoenlijke betrokkenheid op dit bericht reageerden? Ook op de site van *Sp!ts* bleken de reacties op het sterven van de elfjarige jongen van een even verbijsterende als fascinerende ramptoeristische zelfoverschatting.

'RIP,' liet Scheetje Beef weten en Masturwasbeer was 'sprakeloos'. Ook Kudtkonijn was 'er stil van' en Hoeheddegedahgedoahn voegde daaraan toe: 'Wat zou er nog voor dat ventje over zijn gebleven...'

Iemand met het fijnzinnige pseudoniem Schindlers Fist schreef: 'Sneu... gelukkig is hij herenigd met z'n ouders en zusje.' Sneu?

En Snorry noteerde: 'Sterkte voor de achterblijvers.'

Die laatste mededeling kwam ik op verschillende reageersites tegen: de nabestaanden werden vanuit vele hoeken en gaten van het internet sterkte gewenst. Wat haalt men zich in het hoofd? Denkt men werkelijk dat de familie van het verongelukte gezin op de dag van het overlijden van de jongste telg naar *Sp!ts* surft om van Kudtkonijn, Smurfstra, BarackOsama en J.R. Ewing condoleances te krijgen?

'Hoe gaat het?'

'Slecht. Maar gelukkig leeft Snorry met ons mee.'

Inmiddels was ik gaan twijfelen of het overlijden van de jongen inderdaad 'maar beter zo' was. Ik geloof niet in het christelijk-romantische idee van hereniging na de dood. Het leven is het enige wat we hebben. Was het voor de jongen zelf werkelijk beter dat hij er niet meer was?

Ik besloot deze vraag voor te leggen aan mijn zoon, die over anderhalve maand elf wordt. Hij luisterde geconcentreerd naar mijn verhaal en de vraag die ik hem stelde. Om het inzichtelijker te maken vroeg ik hem zich in te beelden dat wij met z'n vieren zouden verongelukken, maar dat hij de botsing zou overleven.

Mijn zoon keek mij niet-begrijpend aan.

'Ik kan dan toch naar opa & oma?' zei hij, en bijna kreeg hij een hoopvolle glans in zijn ogen. 'Of opa & oma kunnen hier komen wonen...'

'Maar je zou dus wel verder willen leven?' vroeg ik.

Mijn zoon knikte verbaasd — en ik begreep hem. Hij is tien jaar. De dood is voor hem lichteeuwen verwijderd, hoe groot het leed dat ik hem schetste ook mag zijn. Eerlijk gezegd — besef ik nu — zou ik het als ouder niet anders willen.

Schuldige gebouwen

Vrijwel dagelijks fiets ik over de Maliebaan, een oude statige straat in het oosten van Utrecht. De afgelopen weken heb ik dat niet kunnen doen zonder te denken aan heldenmoed, verraad, oorlogsgeweld en Jamie Oliver.

Dit komt door een boek dat onlangs verscheen: *Panden die verhalen* (uitgeverij Matrijs), een 'kleine oorlogsgeschiedenis' over deze laan, geschreven door Wout Buitelaar. Vorige week had ik de eer om met de schrijver een wandeling te maken langs door hem beschreven huizen.

De hoogleraar bedrijfskunde aan de UvA kwam in 1992 op de Maliebaan te wonen, ongewis van het fascinerende oorlogsverleden. Toen hij las over het Kindercomité — een Utrechtse studentengroepering die zich bezighield met het onderbrengen van Joodse kinderen — is hij zich in het onderwerp gaan verdiepen.

Hij nam me mee naar het einde van de Maliebaan, vlak bij de plek waar op 7 mei 1945 tien leden van de Binnenlandse Strijdkrachten werden doodgeschoten door Duitse soldaten. Dat was op het moment dat geallieerde soldaten, vijfhonderd meter verderop, de stad binnentrokken.

Gepassioneerd liet Buitelaar — een gedistingeerde vrolijke man — me vele 'schuldige gebouwen' zien. Utrecht was het bestuurscentrum van de NSB en de Duitsers. Ongeveer vijfhonderd Utrechtse panden werden door de bezetter gevorderd, de meeste in de omgeving van de Maliebaan, door hen weemoedig Unter den Linden genoemd.

De *Aussenstelle* Maliebaan herbergde een overweldigende geweldsmachine. Fijne namen. *Wehrmacht. Grüne* of *Ordnungspolizei. Sicherheitspolizei. Sicherheitsdienst. Feldgendarmerie. Abwehr* (contraspionage). Anton Musserts Nationaal-Socialistische Beweging. Weer Afdeling. Landwacht. Germaansche SS. Nederlandsch Arbeidsfront. De *Beauftragte.*

Het fascinerende is echter dat de Maliebaan daarnaast ook een bolwerk was van 'de tegenbeweging'. Op luttele meters van de vele Duitse geheime diensten werden ondergrondse kranten bestierd en verspreid, stond er een illegale stencilpost, was er een geheime zendmast op de zolder van een kerk ('een lijn naar boven'), werden er geldinzamelingsconcerten gegeven voor onderduikers en zochten twee religieuze leiders de grenzen van hun weerstand.

De geschiedenis van de Utrechtse ondergrondse is er een van vele heldhaftige individuen: 'oom Henk', 'Ruurd', 'Bob', 'tante Truitje', 'Grote Cor', 'ome Jan'. Met die laatste werd aartsbisschop De Jong bedoeld, die in zijn kluis op de Maliebaan 40 de administratie betreffende ondergedoken Joodse kinderen liet opbergen.

Met liefde en bewondering vertelde Buitelaar over 'dr. Max' en 'Liesbeth', de verzetsheldinnen Marie Anne Tellegen en Janneke Schwartz, die woonden op de Maliebaan 72b, direct naast het gebouw van de Sicherheitspolizei op nummer 74.

In *Panden die verhalen* zien we een afbeelding van een Sipo-document over het Nederlandse verzet, met als een van de lemma's de ongrijpbare 'dr. Max'. De *Dienststelle* kon niet bevroeden dat het hier ging om *diese zwei uninteressante Damen* van het aanpalende huis. Dr. Max en Liesbeth zijn net op tijd ondergedoken, anders waren zij wellicht in de cellen van hun buurhuis beland.

Buitelaar en ik belden tijdens onze wandeling op de bonnefooi aan bij het bedrijf dat nu op Maliebaan 74 is gevestigd: uitgeverij Kosmos. We vroegen of we een kijkje mochten nemen in de kelders van het gebouw. Een wezenloze ervaring. Waar nu de dozen met kookboeken van Jamie Oliver vrolijk staan opgestapeld, werden in de oorlogsjaren mensen gemarteld en vernederd.

Op 6 juni 1944 bijvoorbeeld (D-day), werd de oude Utrechtse mevrouw De Leeuw-Snackers er verhoord, omdat ze zich volgens twee SD-ers in het openbaar zou hebben schuldig gemaakt aan *Deutschfeindliche Kundgebung*. Een klein jaar later stierf ze, kapotgetreiterd, in een vrouwengevangenis in Leipzig.

Dit zijn de verhalen waaraan ik tegenwoordig denk als ik over de Maliebaan fiets.

Ik weet het niet

Een natuurkundeleraar van me vertelde ooit hoe hij als leerling aan zijn eigen docent had gevraagd wat elektriciteit was. Daarop had hij een zeer ingewikkelde uitleg gekregen. Tijdens zijn studie stelde hij de vraag opnieuw aan een hoogleraar. Het antwoord was iets minder wollig, maar nog steeds begreep hij het niet. Vervolgens ontmoette hij een Nobelprijswinnaar, dé autoriteit op het gebied van de fysica. Ook aan deze man vroeg hij wat elektriciteit was. De Nobelprijswinnaar haalde zijn schouders op en antwoordde: 'Ik weet het niet.'

Hoe meer je weet, hoe makkelijker je durft toe te geven wat je niet weet. Mijn zoon vroeg me vorige week wat de relativiteitstheorie betekende.

Aha. Dat zijn momenten dat je er moet zijn, als vader. Mijn eigen ouweheer heeft het me ook ooit proberen uit te leggen.

Ik haalde adem, en gaf een bont antwoord over licht dat kan worden afgebogen door zwaartekracht, over ruimtekrommingen, over algemene eenparige versnellingen van massa's, over constante gravitatievelden en over ruimtereizigers die minder snel oud worden dan achterblijvers op aarde.

Mijn zoon knikte.

'Maar wat ís de relativiteitstheorie?'

'Ik weet het niet,' zei ik.

Toen bedacht ik dat ik ooit een maffe film zag waarin Albert Einstein aan Marilyn Monroe de relativiteitstheorie uitlegde. Tijdens die voorstelling had ik oprecht het idee dat ik Einsteins woorden snapte.

In het bijzijn van mijn zoon googlede ik de begrippen 'monroe', 'einstein' en 'relativiteitstheorie'. Binnen één vingertip verscheen de naam van de film op mijn scherm (*Insignificance*, van Nicolas Roeg uit 1985, maar dat doet voor dit stukje allang niet meer ter zake).

Ik zag mijn zoon nadenken.

'Hoe werkt Google eigenlijk?' vroeg hij.

Aha. Weer zo'n moment in zijn opvoeding. Google is een van de grootste mysteries van deze tijd. Ik moet toegeven dat ik behoorlijk googleholic ben. Wat deed ik in godsnaam voordat ik Google ontdekte en hoe heb ik ooit zonder de zoekmachine kunnen leven en schrijven?

De mogelijkheden van Google zijn grenzeloos. Waar ik vroeger in een zoektocht naar inspiratie lukraak door mijn boekenkast ging, google ik tegenwoordig steeds vaker combinaties van lukraak gekozen zoektermen. Zojuist typte ik bijvoorbeeld de volkomen willekeurige woorden 'aardbeien', 'verlangen' en 'Suriname'. Het eerste zoekresultaat was een verhandeling van Michiel van Kempen over gelegenheidsdichters. Geweldig!

Ook kan Google — eerder dan de gezondheidsinstanties — voorspellen waar een griepepidemie toeslaat, door per provincie te kijken naar gezochte woorden als 'griep' en 'verkoudheid'. Zo valt met hulp van een googlewerktuig genaamd Insights te bepalen dat het zoekwoord 'geslachtsziekte' het meest wordt opgezocht in Gelderland en Utrecht, en het minst in Groningen en Friesland. Geweldig!

Mijn zoon wachtte ondertussen ongeduldig op een antwoord. Hoe werkt Google? Als later zijn eigen zoon hem deze vraag stelt zal hij antwoorden wat zijn ouweheer hem nu vertelt.

Ik legde uit dat Google gebruikmaakt van een algoritme, een ingewikkelde formule die op basis van verbindingen tussen internetpagina's kan berekenen welke resultaten een zoekvraag beantwoorden. Dit algoritme is net zo geheim als het recept voor Coca-Cola. Google heeft 45.000 computers die deze berekeningen uitvoeren.

'Oké...' antwoordde mijn zoon zuchtend. 'Maar hoe wérkt Google?'

Het toeval wilde dat ik vorige week de baas van Google Nederland ontmoette, bij uitstek de man die mij kon vertellen hoe zijn zoekmachine het kunstje precies flikt. De man glimlachte minzaam op mijn vraag, bijna verontschuldigend. En zijn antwoord had ik natuurlijk kunnen raden. Weten is vooral durven toegeven wat je niet weet.

Familiecomedy

Waarom is het leven niet als een Amerikaanse familiesitcom? Zo eentje waar een gezin bestaat uit geweldige wereldwijze grappige kinderen met zo mogelijk nog wijzere humoristische ouders. Zo van dat er in het leven van de kinderen iets vervelends gebeurt, waar de ouders eerst niet goed mee omgaan, tot ze tot inkeer komen en een educatief verantwoord verhaal afsteken over hun eigen jeugd, waarna alle personages als betere mensen op de aftiteling wachten, net als de moreel gelouterde kijkers.

Helaas ben ik geen Bill Cosby, heet mijn vrouw niet Roseanne en is in ons gezin *nobody the boss*. Toch had ik afgelopen weekend drie keer het gevoel in een sitcom te zijn beland.

Onze jongste is twee jaar en we hebben een open keuken, met een open vuilnisbak. De laatste weken begon het ons op te vallen dat er dingen verdwenen: fietssleutels, bestek, een parkeervergunning, een vulpen, de afstandsbediening, een briefje van twintig euro. Zaterdag betrapte ik onze dreumes op heterdaad, toen hij met een onschuldig gezichtje een door mij van Sinterklaas gekregen dvd van het Amerikaanse HBO-programma *Weeds* in de prullenbak wierp (een dramaserie over een weduwe die een handel in marihuana begint en ondertussen haar kinderen normen en waarden probeert bij te brengen). Hoe leer je een tweejarige dat hij met zijn vieze jatten van andermans spullen af moet blijven? Hoe zou Bill Cosby dat hebben gedaan?

Een tweede comedymoment hadden we met onze dochter

van acht. Zaterdag had ze met vijftien andere nachtegaaltjes een uitvoering van de musicalcursus die ze al een half jaar volgt. Sinds mijn dochter deze lessen heeft maakt ze onophoudelijk zangachtige geluiden. Ze zingt op haar kamer, ze zingt als we naar school lopen, ze zingt aan tafel tijdens het eten, ze zingt soms zelfs in haar slaap.

Natuurlijk is het erg vertederend om een zingende dochter te hebben. Tenminste, de eerste twee maanden. Op een gegeven moment begonnen haar aria's me te vervelen en te ergeren. Ik hoorde mezelf dingen zeggen als: 'Goudkeeltje, kun je nu niet eens even stoppen?'

Er kwamen zelfs zangverboden en zangvrije maaltijden. Hoe slecht ben je als ouder als je je vrolijke dochter gebiedt om minder vrolijk te zijn?

'Ga je nog door met musical?' vroeg ik na de uitvoering.

'Ik weet niet of ik daarvoor genoeg van zingen hou,' zei mijn dochter zuinigjes.

En dan was er nog mijn zoon van tien. Zaterdag moest hij voor het eerst van zijn leven keepen. Zijn voetbalteam heeft sinds kort geen doelkind meer en dus moeten de spelers er bij toerbeurt aan geloven. Mijn zoon had zich vooraf grote zorgen gemaakt over zijn keeperscapaciteiten. Vorige week zijn we daarom op een trainingsveldje gaan oefenen, en in zijn schoen zaten echte doelhandschoenen.

'Met zulke honkbalachtige lappen hou je iedere bal tegen,' had ik vooraf tegen hem gezegd.

Zo ging het niet helemaal.

Toen mijn zoon bij de rust onder de lat ging was de stand 1-0 voor het team van mijn zoon. Bij het laatste fluitsignaal stond het 2-8.

Mijn jongen was toen al in tranen. Hij dook ineen en probeerde zich te verschuilen onder mijn jaspand. Douchen met zijn teamgenoten kon hij niet meer opbrengen, hij wilde naar zijn kamer om te huilen.

'Wil je erover praten?' vroeg ik cosbyaans bij zijn kamer-
deur, want in een sitcom zou de vader der serie nu een wijze
levensles opdissen.

'Rot op!' riep mijn zoon, en gelijk had hij. Een uur later
hoorden we hem overigens alweer zingen met zijn zusje.

Jezus: 'Mohammed is ongeloofwaardig'

Goedendag meneer Jezus, fijn dat u mij te woord wilt staan. Mag ik u allereerst vragen of u wilt reageren op de uitspraken van uw collega Mohammed in het gefilmde interview met de jongeman Ehsan Jami.

'O, ik was er al bang voor. Ik word uitgenodigd om te komen praten over de inhoud van mijn boodschap en de naderende Kerst, en meteen gaat de eerste vraag over de waan van de dag, ruzietjes en achterklap. Die film is volstrekt oninteressant.'

Vindt u dat? Het is wel wat er nu speelt. Het filmpje van Jami is inmiddels overal te zien op internet en het land is in verhoogde staat van paraatheid. De mensen thuis willen weten wat iemand als Jezus van deze commotie vindt.

'Ik vind het niet chic om te reageren op de acties van collega's. Wat meneer Mohammed allemaal uitkraamt moet hij lekker zelf weten. Of eh... "meneer Mo" zoals hij tegenwoordig geloof ik liever genoemd wil worden.'

Daar klinkt toch enige frustratie in door.

'Nee hoor, helemaal niet. Ik heb alle respect voor de man.' Alleen...

'Alleen valt me op dat hij nu tegenover een of andere puber een beetje de toffe progressieve peer gaat lopen uithangen. Zo'n filmpje is toch veel te beschaafd? Dat is toch niet de Mo zoals we hem kennen?'

U vindt dat niet geloofwaardig?

'Iedere profeet kan een spindoctor inhuren om aan zijn

imago te werken. Ik heb altijd een vorm van bewondering voor Mohammeds hardvochtigheid gevoeld, maar het pad dat hij nu lijkt te zijn ingeslagen... Ik moet persoonlijk nog zien of hij daarmee zieltjes wint.'

Mohammed is tegenover Jami erg menselijk. Hij laat zich zien als weldenkende vergevingsgezinde profeet. Dat ligt toch in uw straatje? U bent toch ook tolerant?

'Ja, dat is helaas het beeld waarmee mensen mij de laatste decennia associëren. Noodgedwongen, want het liefst zou ik weer net zo meedogenloos zijn als in vroeger tijden. Het mooist voor een profeet is het om liefde en vrede op een harde, oorlogszuchtige manier te prediken. Zoals ik eeuwen achtereen heb gedaan.'

U bent afgunstig op Mohammed. Is dat het?

'Noem het zoals je wilt. Stel je een of ander opgeschoten wichtje voor dat in een vrolijke dronken bui roept: "Ik word geil van Jezus." Denk je dat er iemand is die daar verdomme aanstoot aan neemt? Vindt iedereen kunnen. Vrijheid. Beledig Jezus maar lekker. En stel je vervolgens eens een jonge moslima voor, die laat optekenen dat ze het liefst masturbeert terwijl ze aan Mohammed denkt. *Allah akbar!* Nou, dan is het land te klein. Voor meneer Mohammed gelden blijkbaar andere regels.'

Voelt u zich gediscrimineerd?

'Ik stel alleen maar vast.'

Maar u hebt dit toch aan uzelf te danken? U hebt de teugels blijkbaar te veel laten vieren...

'Zoals ik zei: noodgedwongen. Iedereen is nu vol van de kredietcrisis, maar de religiecrisis duurt in dit deel van de wereld al een jaar of vijftig. Ik heb als profeet alle zeilen moeten bijzetten om nog een paar mensen te behouden. Dacht je dat ik het leuk vond om met iemand als Arie Boomsma te moeten werken?'

En ziet u Mohammed nu hetzelfde pad op gaan?

'Natuurlijk. Op het moment dat hij tolerant gaat worden, weet je dat het gedaan is met zijn geloof.'

Mag ik u danken voor dit gesprek?

'Is het al afgelopen? We zouden goddomme nog over de kerstboodschap praten. Dit is niet wat ik met uw redactie heb afgesproken! Wie denk je dat je voor je hebt?'

Kerstborrel

Mijn werk brengt me soms op plekken waar ik anders nooit kom, de bergruimte van een sekswinkel bijvoorbeeld. Ik zeg sekswinkel, maar ik bedoel 'een vrouwvriendelijke erotiekshop met massageoliën, stijlvolle sensuele kleding, hyperallergene dildo's en pornografie met een verhaal'.

Het is weer de tijd van de kerstborrels. Het Utrechtse organisatiebureau Explorama had voor zijn jaarlijkse feestje nu eens geen café of zaaltje afgehuurd, maar de winkel van zijn buren, toepasselijk geheten Liefde & Lust. In de hoek bij het assortiment cockringen was een biertap neergezet, bij de *smart balls* stonden wijnen en tussen de *monkey spankers* en de buttplugs lagen versnaperingen.

Ter verpozing was er een verrassingsact van een rondborstige uitkleedprofessional, en daarnaast had men mij gevraagd wat toepasselijke stukken voor te dragen. Voorlezen tussen handgeblazen *pleasure dongs* van hoogwaardig niet-poreus glas is toch de droom van iedere schrijver?

Het samenzijn was bedoeld voor collega's en relaties, variërend van stagiaires tot belangrijke mannen met tekenbevoegdheid. Natuurlijk had het iets onwezenlijks om met een gezelschap volwassen mensen tussen *crotchless strap-ons* en zwartlederen martelvibrators het glas te heffen op het afgelopen jaar. Temeer omdat de winkel — het was koopavond — gewoon open bleef.

Tijdens mijn speech ging de winkeldeurbel. Een nietsvermoedende jongeman stapte argeloos de zaak binnen. Hij keek naar de receptiegangers als een konijn in groot licht. Alsof hij zijn ouders had betrapt op een gangbang met de buren.

'Kom er gezellig bij!' riep ik bemoedigend, maar de jongen maakte direct rechtsomkeert.

'Zo zien de klanten er dus uit,' zei ik, een kwinkslag, want de jongeman oogde volstrekt normaal en frisgedoucht. Ik vroeg me af wat hij had willen aanschaffen. Wellicht een Flesh Light, het allernieuwste op het gebied van het mannenplezier: een van cyberskin gemaakte vrouwelijke vestibule, verstopt in een zaklantaarn (ad € 69,95).

'Die is speciaal ontwikkeld voor mannen die geen zin hebben om op Schiphol te worden betrapt met een rubberen reisvagina in hun bagage,' legde de eigenaar van de winkel uit. 'Vandaar de zaklantaarn.'

Een rubberen reisvagina. Ik moest wennen aan het idee. Waarom trekt zo'n man zich niet gewoon even af als hij in het buitenland benedenbuikse prikkels krijgt?

Na mijn praatje minglede ik met de borrelende relaties. Ik kwam in gesprek met de directrice van een bedrijf met vijfendertig werknemers, aanvankelijk over de kredietcrisis, maar dat is in alle redelijkheid niet vol te houden als je op veertig centimeter staat van een dieppaarse *bend over boyfriend* van een centimer of dertig, gebroederlijk naast een set geluidsarme *multispeed* traploosregelbare ergonomische spatwaterproof clitorisstimulators.

De vrouw vertelde dat ze ooit in een testgroep had meegedaan aan de introductie van een clitoraal hulpstukje voor op een elektrische tandenborstel. Dat zijn dingen die je niet snel met elkaar deelt bij een staande receptie ergens in een bovenzaaltje.

'En was het wat?' vroeg ik.

'Ik poets liever mijn tanden,' zei de vrouw.

Na verloop van tijd bracht een zoektocht naar het toilet me naar de bergruimte van de winkel. Er lagen dozen met oliën, condooms en pornografische dvd's, maar verder oogde het hokje als de achterkamer van welke winkel dan ook. Natuurlijk had ik me kunnen voorstellen dat ook een sekswinkel een personeelsruimte moet hebben, maar toch was het niet in me opgekomen. In een hoek stond een petieterig keukenblokje. Er hing een kalender. Op een plank stond een broodtrommel. Ik zag een halfvolle pot pindakaas, vitaminepillen, een doos paracetamolletjes. Met al die handboeien, op afstand bedienbare trileieren en condoomveilige glijmiddelen was dat een vertederend contrast.

Ononderbroken dronken

De Lagavulin smaakte als een net gelooide riem. Ik zat met twee collega-schrijvers in een café achter een glas malt whisky. Er kwam een jongen voor ons staan, type drankorgeltje tingeling, die onsamenhangend begon te brallen: 'Schrijvers! Zuiplappen!'

De mythe wil dat alle schrijvers en kunstenaars alcoholist zijn. Dit beeld is ontstaan in Frankrijk. De term 'alcoholisme' kwam voor het eerst voor in een Frans woordenboek uit 1858, de tijd dat de zogenoemde romantici zochten naar manieren om de werkelijkheid te ontvluchten. De roes die alcohol gaf was zo'n methode, naast hasjiesj, opium, absint, seks en het schrijven van onleesbare poëzie.

Drank was een middel om te ontsnappen aan het benauwde burgerlijke leven. Kunstenaars wilden zich afzetten tegen de bourgeoisie, en het doel van een kunstenaar was te zoeken naar grenservaringen.

'U moet ononderbroken dronken zijn,' was een beroemd geworden advies van de dichter Charles Baudelaire. Door zijn overmatige alcoholgebruik zette de kunstenaar de vaste kleingeestige orde op losse schroeven, ridiculiseerde die zelfs.

De afgelopen anderhalve eeuw zijn er vele grote kunstzinnige drinkers geweest. Picasso, Van Gogh, Jackson Pollock en schrijvers als Goethe, Dylan Thomas, Malcolm Lowry, Charles Bukowski en Marguerite Duras, die sommige van haar boeken schreef terwijl ze zes liter wijn per dag dronk.

Ooit zei zij hierover: ''s Nachts wakker worden en gaan drinken. De enige in de stad zijn die wakker is. Beslist het sterven waard.' Ze overleed op haar 82ste aan keelkanker.

Ook de Nederlandstalige literatuur kent vele (ex-)drinkende schrijvers: Herman Brusselmans, Jeroen Brouwers, selfkicker Johnny van Doorn en de onnavolgbare August Willemsen.

De vraag is waarom alcohol wordt geassocieerd met creativiteit. Er zijn wetenschappers die dit verband ten enenmale ontkennen, maar er zijn ook veel studies gedaan waaruit blijkt dat (een beetje) alcohol wel degelijk kan helpen. Onder normale omstandigheden houdt onze linkerhersenhelft als een politieagent de rechterhelft in bedwang. Dat heet rationaliteit, oftewel: zolang de linkerhelft het voor het zeggen heeft blijven we verstandelijk denken.

Creativiteit komt volgens sommigen neer op het verbinden van twee schijnbaar willekeurige begrippen. De politieagent van het rationele denken kan dit proces in de weg zitten, en daarom kan het behulpzaam zijn om die bewaker tijdelijk te verdoven. Door het nuttigen van een glas alcohol, whisky bijvoorbeeld, kijkt de linkerhersenhelft even de andere kant op en kan de rechterhelft vrijelijk associëren.

Oorspronkelijk — ik ga even associëren — komt het woord whisky van het Schots-Gaelische woord voor levenswater: *usquebaugh*, wat klinkt als iemand die zich verslikt in een Rennie. Anderen beweren dat de naam komt van het Iers-Gaelische *uisce beatha*, uitsproken als iesjkje bjaha, zo'n beetje als die vroegere middenvelder van Sparta.

En voor wie het per se weten wil: er zijn meer dan 3000 merken whisky, en om en nabij 117 bijzondere single malt whisky's van gemoute gerst, afkomstig van één distilleerderij. De namen van deze merken spreken erg tot de verbeelding en klinken als de geluiden wanneer je boven de pot staat omdat je te véél whisky hebt gedronken. Allt-A-Bhaine. Auchentoshan. Bruichladdich. Bunnahabhain. Craigellachie. Dailluaine.

Dalwhinnie. Glendronach. Glenmorangie. Laphroaig. Man-
nochmore. Inchmurrin.

Ik ken een schrijver — het toeval wil dat ik het zelf ben —
die in een roman een hoofdpersoon de malt whisky Lagavulin
laat drinken. Een criticus vond dat ik te ver was gegaan in de
seksuele beschrijvingen, en gaf als voorbeeld dat ik zelfs had
gegoocheld met de naam van het merk. 'Lagavulin,' schreef
hij, 'is natuurlijk een anagram van lul en vagina.' Op die
vondst heb ik nog een extra glaasje ingeschonken.

Het evangelie van Simon

Mijn zoon had op zijn voetbalclub Sporting '70 een evenement waarbij er spelers van de plaatselijke profclub langskwamen om te vertellen over hun sport, en een balletje mee te trappen met de jongens en meisjes.

Een van de bezoekers was Simon Cziommer, die eerder uitkwam voor AZ, Schalke, Roda JC en FC Twente. Voor zijn komst speelde Cziommer niet zo'n grote rol in ons gezin, maar inmiddels heeft hij een belangrijkere status dan Jezus Christus en zijn teamgenoten. Overmorgen vieren we de geboorte van het kindeke Simon, en devoot repeteert mijn zoon iedere dag de Evangeliën van Cziommer, oftewel de schijnbewegingen en trucjes die Hij de schaapjes van Sporting probeerde bij te brengen.

Als afsluiting van het bezoek van de profvoetballers was er een onderling toernooi tussen willekeurig ingedeelde jeugdspelers. Mijn zoon kwam in een team met twee meisjes en vier jongens, want korfbal is allang niet meer de enige gemengde sport. Het gelegenheidsteam won tot zijn eigen verbazing het klassement, en toen kwam het bijna religieuze hoogtepunt van de middag: uit handen van Simon Cziommer van Nazareth kregen alle spelers als beloning twee kaartjes voor een wedstrijd van FC Utrecht.

Voor mijn zoon voelde deze prijs als het begin van een lange voetbalcarrière. 'Het begon met gratis kaartjes tegen Volendam, het eindigde met een miljoenentransfer naar Manchester United.'

Ik, de ongelovige, moest het weekend daarop uiteraard mee naar het stadion om de ceremoniële dienst voor de Heilige Bal mee te maken. Mijn zoon was al eens mee geweest naar een wedstrijd, maar nooit eerder had hij zelf de kaartjes verdiend en nooit eerder hadden we aan een doelkant gezeten, op grashoogte (rij 1, vak Z).

We kwamen een uur te vroeg bij de tribune, want mijn zoon wilde niets missen van de Mis. Zelf hou ik ook erg van de sfeer in een vollopend stadion. Ik mag graag kijken naar spelers die zich warm lopen, fotojournalisten die het veld betreden en supporters die zich verwachtingsvol installeren. Alle pijn van voorgaande vernederingen is verdwenen. De stam maakt zich op voor de confrontatie met de bezoekende stam uit het dorp ernaast.

De meeste indruk op mijn zoon maakten de psalmen, belijdenissen en opwekkingsliederen van de parochiegenoten op de Bunnikzijde. In de verte zagen we paus Willem van Hanegem en exegeet Barbara Barend bij de dug-out. Op het veld werd broeder Herman van Veen geïnterviewd voor de lokale televisie.

En toen kwam de revelatie: onder applaus betraden Simon Cziommer en zijn discipelen het veld om te beginnen aan de rituelen der Wonderbare Verwarming. Mijn zoon volgde gebiologeerd al Zijn bewegingen, hongerig naar nieuwe trucjes. Hierna verdwenen de spelers weer in de catacomben om zich op te maken voor hun herrijzenis. Bij FC Utrecht weten ze de opkomst van de spelers met veel dramatiek en opzwepende muziek te brengen.

Helaas was dat meteen zo'n beetje het spannendste wat er die middag gebeurde, want zelden zal het publiek zo'n inspiratieloze en slechte wedstrijd hebben gezien. FC Utrecht weet wel wat het weggeeft; als dit werkelijk als voorbeeld moet dienen voor de jeugd, dan is een voetbalsecularisatie onvermijdelijk.

Mijn zoon had tijdens de wedstrijd ook een groot persoonlijk verlies te verwerken. In de zestigste minuut maakte de scheidsrechter een gebaar naar de vierde official. Een voorovergebogen Simon Cziommer begon aan zijn afgang richting de zijlijn: Hij werd gewisseld. Mijn zoon keek me verbijsterd aan.

'Nu winnen ze nooit meer,' sprak hij. En dat klonk toch een beetje als: 'O Heer, waarom hebt u mij verlaten.'

Onverantwoord vuurwerk

We brengen Kerst en Nieuwjaar door in Normandië, ver van kredietkoorts, elfstedencrisis en andere beslommeringen. Het wordt de eerste keer dat we de jaarwisseling in Frankrijk vieren, wat mijn kinderen met gemengde gevoelens ondergaan. Het schijnt dat het hier te lande verboden is om met Oud & Nieuw vuurwerk af te steken, wat mijn kinderen zich niet kunnen en willen voorstellen. Wat ís dít voor een onbeschaafd land? Voor de zekerheid heeft mijn vrouw Bengaalse pijlen en surrogaatsterretjes meegenomen, maar we hebben onze kinderen erop voorbereid dat die niet knallen.

Mijn vader was als socialist tegen Kerst en als weldenkend mens tegen vuurwerk. Bij wijze van alternatief tuigde mijn moeder de zieligste kerstboom die ze kon kopen op met gekleurde touwtjes en mandarijntjes. En om te voorkomen dat we in een sociaal isolement zouden raken als alle buurkinderen rotjes zouden afsteken en wij niet, ging ze voor mij en mijn zus op zoek naar 'verantwoord vuurwerk'.

Dat is een oxymoron, een verbinding van twee begrippen die elkaar uitsluiten: vuurwerk hoort vervaarlijk te exploderen. Mijn moeder kwam thuis met milieuonschadelijke, macrobiotische, klasseloze, glutenarme, vrouwvriendelijke, stralingsvrije, genderneutrale zakjes.

'Ze ploffen en hebben een maffe kleur!' riep de verkoper van de wereldwinkel haar na. Terwijl die nacht onze Noord-Koreaanse buurman een mat illegale atoombommen tot ontploffing bracht, zagen wij op tien meter afstand hoe mijn moeder een educatief verantwoord aansteeklont hield bij een van haar zakjes. Gespannen wachtte ze af. Na een minuut of twee kreeg het dingetje een linzenbruine kleur. Heel zachtjes hoorden we 'flufff... plop', als een cavia die een boertje laat. Ik herinner me de montere blik waarmee mijn moeder zich groothield.

Enfin. In aanloop naar deze jaarwisseling hebben mijn kinderen lijstjes opgesteld met hun goede voornemens. Ze behandelen deze met dezelfde energie als waarmee ze bedenken wie er op hun verjaardagsfeestjes mogen komen. Er ontspint zich een darwinistische strijd tussen hun voornemens. 'Minder ondeugend zijn' stond lange tijd hoog op de lijst van mijn dochter, maar intussen is dit ingeruild voor 'nog meer met mijn Nintendo spelen'. Mijn zoon wil 'meer gitaarspelen', 'liedjes bedenken', 'meer tekenen', 'meer voetballen', 'meer buiten spelen' en 'een actiespeelfilm maken'.

Mijn vrouw en ik hebben eigenlijk maar één eenvoudig voornemen op onze lijst. Dat is de schuld van *Viva* en andere opgewonden vrouwenbladen, die voortdurend de doctrine herhalen dat je pas een goed liefdesleven hebt als je om het half uur met elkaar naar bed gaat. Wij halen dat moyenne niet.

Ik lees de laatste tijd voordurend dat gezonde stellen drie tot vier keer per week de liefde zouden bedrijven. Drie tot vier keer per week? Hebben die mensen geen leven of zo? Welk normaal functionerend echtpaar met een zwik schoolgaande kinderen vindt de fut, tijd en vooral noodzaak om achttien keer per maand op elkaar te kruipen? Alsof je niet ook een boek kunt lezen, talkshows kunt kijken of in slaap kunt vallen.

Probleem is dat als je het maar lang genoeg uitstelt, het minnespel iets krijgt van een bezoek aan de tandarts of een kelder die al maanden hoognodig moet worden opgeruimd. Gelukkig is de jaarwisseling bij uitstek de gelegenheid om je voor te nemen het povere feitelijke gemiddelde eens grootscheeps op te krikken.

Omdat we niet in een seksueel isolement willen raken, gaan we volgend jaar *Viva* en al die opgefokte veelneukers dan ook eens een goede poep laten ruiken. Weg met *Pauw & Witteman* uit onze slaapkamer, jammer van al die boeken, in 2009 willen we onverantwoord vuurwerk! Gillende keuken-meiden! Fonteinen! Duizendklappers!

Bonusmateriaal

Interview met mijn zoon

Mijn zoon is schrijver (hij is vijf). Een paar weken geleden moest hij voor school een tekening maken over wat hij later wil worden. Hij twijfelde tussen 'paardrijder' (al heeft hij nog nooit een paard van dichtbij gezien) en 'kunstmaker' (een nieuw beroep, waarmee hij via gemengde technieken en met behulp van materialen als papier, klei en hagelslag artistieke performances geeft), maar uiteindelijk koos hij voor 'schrijver'. Op zijn tekening zien we hem op pappaleeftijd. Hij zit te schrijven achter zijn bureau. Tot zover klopte de tekening met de werkelijkheid zoals ik die als schrijver ken. Daarnaast zien we een klein jongetje op zijn schoot. Dat is zijn eigen zoontje. Ik geloof niet dat ik ooit geschreven heb met een van mijn kinderen op schoot. Achter mijn volwassen zoon staat een mevrouw met een stapel boeken en voor hem wachtende mensen die een boek in handen hebben. Op al die boeken heeft mijn zoontje zijn naam gepriegeld. Met andere woorden: mijn zoontje heeft een signeersessie getekend, waarvan hij er de afgelopen maanden noodgedwongen een paar heeft meegemaakt. Mijn zoon denkt dat het beroep van zijn vader is om handtekeningen te zetten in boeken.

Nu zal iedereen die op een bepaald niveau iets doet, vindt of produceert, het meemaken dat hij publiekelijk wordt uitgehoord over zijn fascinerende beweegredenen, hobby's, angsten, jeugd, afgunst, frustraties, et cetera. Twee maanden geleden werd ik vanwege een collectieve propagandistische feestweek van het boekenvak nogal vaak bezocht door journalisten.

'Waarom komen al die mensen met jou praten?' vroeg mijn zoon, een beetje bozig dat onze veilige veste zo ruw werd platgelopen door interviewers en fotografen. Zijn 'met jou' kwam er niet heel vriendelijk uit.

'Omdat ik een boek heb geschreven,' zei ik (alsof dat verklaart waarom ik over mijn eethoek, mijn standpunt over de oorlog of mijn relatie met mijn vader mag vertellen).

'Ik ben ook schrijver,' ging mijn zoon verder, met blije verongelijktheid.

En daarom — om me ook een beetje af te reageren op die stroom gesprekken met journalisten — hierbij het eerste interview van mijn zoon. Een gesprek met een jonge, bevlogen auteur, over schrijven en het leven.

We zitten op de bank in de huiskamer. Op de tv danst Madame Baba geluidloos haar buik bloot, maar daar kijkt de schrijver slechts met een half oog naar. Hij heeft zojuist een glas diksap ingeschonken.

Om te beginnen een algemene vraag. Hoe gaat het met je?
'Goed.'
Kun je dat nog een beetje uitleggen?
'Nee.'
Wil je nog steeds schrijver worden?
'Ja. En als ik geen schrijver meer wil zijn, dan word ik paardrijder.'
Waarom schrijver?
'Omdat ik van boeken hou.'
Wat is er leuk aan boeken?
'De plaatjes vind ik heel leuk.'
Waarover wil je boeken maken?
'Over kinderen, met plaatjes. Ik word een schrijver en kunstemaker tegelijk.'
Zozo. Maar waarover gaan je boeken dan?

'Dat weet ik nog niet. Daar moet ik nog even over nadenken. Ben ik nu klaar?'

Voor wie ga je boeken maken?

'Voor ááááálle kinderen. Ze moeten ze wel kopen. Dan vraag ik aan de meneer of de mevrouw bij de boekhandel: mag ik dit boek in de kast zetten?'

Wie zijn je inspiratiebronnen?

'Nou pappa! Wat is dat?'

Van welke boeken hou je?

'Ik hou van Hans & Grietje. En Pippi Langkous. Van Roodkapje. En van Columbus. Dat is een leuk boekje van een jongetje en een piraat. Ik hou niet van Berend Botje. Ik heb nog veel meer boeken, te veel om op te noemen.'

Lijkt het je niet een beetje saai om schrijver te zijn?

'Nee. Omdat ik heeeeeel veel plezier heb in tekenen en schrijven. Ik doe het voor de lol. Signeren lijkt me ook heel leuk. Ik weet nog niet wat ik erin zal zetten, dat verzin ik wel later.'

Wat zijn je thema's?

'Pappa...'

Ik bedoel: waarover ga je schrijven?

'O, over boten, poppetjes, slingers en verjaardagen.'

Is jouw werk autobiografisch?

'Nee. Ik weet niet wat dat is. Wat stel jij stomme vragen.'

En heb je een boodschap met je boeken?

'Nee. [stilte] Een boodschap? Wat is een boodschap?'

Een bedoeling.

'Wat is een bedoeling?'

Dat mensen anders over de wereld gaan denken.

'Nee, dat wil ik niet. Doe jij dat wel? Pappa, ik wil buiten spelen.'

En tot slot: zal het je ooit lukken om je kinderlijke fantasie om te zetten in een volwassen volwaardige creativiteit en zakelijkheid? Wil je niet als je later groot bent in feite nog steeds de baas van de poppenkast zijn?

'Pfff. Ik ga naar buiten. Doei.'

En hierna drukt hij de buik van Madame Baba uit en verdwijnt hij naar de schommel.

De prins en de prinses

Niet alleen mijn zoon van vijf, ook mijn dochter van drie noemt zich schrijver. Ze maken er zelfs ruzie om.

'Ik ben schrijver.'

'Nietes, ik ben schrijver.'

Samen hebben ze al een handvol boeken gemaakt. Mijn vrouw knipte en plakte een aantal vellen tot een dummy, die vervolgens door mijn kinderen werd gevuld met tekeningen, kabbalistische getallenreeksen en tekstballonnen. Ik noem dit: het plezier van het maken. Ingespannen, gedreven en op een driftige manier geamuseerd zaten ze gebroeder- en zusterlijk aan de grote tafel in de huiskamer te werken aan hun oeuvre. Toen ze na een uur of wat klaar waren met hun illustraties kalligrafeerde mijn vrouw er op hun aanwijzingen een verhaal bij. Hun debuut heette nog simpel *De prins en de prinses*, hun tweede boek *De koning en de koningin* en hun laatste publicatie gaven ze de veelomvattende titel *De dinosaurus en de planeten*. De boeken die ze hebben gemaakt moesten wij aanvankelijk zeer zorgvuldig opbergen in de boekenkast. Iedereen die ons huis aandeed (variërend van grootouders tot loodgieters) werd het gegund een blik te werpen in hun scheppingen, die vervolgens bedolven werden onder complimenten. Deze fase duurde twee dagen, daarna waren mijn kinderen hun boekjes vergeten en hadden ze zich alweer gestort op andere projecten.

Ik heb als kind ook veel boekjes gemaakt. Mijn vader had op zijn werk de beschikking over een stoomkopieerapparaat, waarop hij mijn stripverhalen in tienvoud reproduceerde. Kopieën waren destijds nog niet van leesbare kwaliteit, waardoor mijn boeken met avonturen van de zeer getalenteerde megaheld Suberboy (10 delen), de Germaanse dorpsbewoners Magnix en Kannix (3 delen), de nuchtere strijder tegen onrecht Kapitein Blood (4 delen) en de al even nuchtere cowboy John Hunt (1 deel) al in belabberde staat verkeerden nog voor ik ze aan mijn familieleden had kunnen verkopen. Ik weet uit overlevering dat ik met de verkoop van mijn boekjes een redelijke duit heb verdiend, maar wat er verder met al mijn bundels is gebeurd weet ik niet. Net als de maaksels van mijn kinderen, zijn mijn boekjes in de loop der jaren verdwenen in plastic tassen, dozen, verhuisboxen, vuilniszakken, stortplaatsen. Het is mijn geheime wens dat ik, bijvoorbeeld na de Deventer Boekenmarkt, gebeld word door een mij onbekende verzamelaar die snuffelend tussen de duizenden boekenstandjes een avontuur van Magnix en Kannix op de kop heeft getikt en wil weten of ik inderdaad de auteur ben.

Toegegeven: ik ben op het pathologische af niet zuinig op mijn boeken. Ik vind: het gaat bij boeken om de inhoud, louter de inhoud en niets anders dan de inhoud. Boeken zijn gebruiksartikelen. Je koopt een pak melk ook niet om de lay-out van het karton. Een fraai vormgegeven omslag en prettige belettering kunnen de leesvreugde bevorderen, maar primo lees je boeken om de kracht van de woorden, de vervoering van het verhaal, de betovering van de inhoud. Dit is mijn officiële mening. Officieus kan ik me ergeren als een van mijn kinderen een vers aangeschaft boek beklad met stiften, chocolademelk of blubber uit de vijver, maar mijn ergernis hierover duurt niet lang.

Ik ben ook niet zuinig op mijn eigen boeken. Mijn romans zijn al in vele edities en versies verschenen, met dito vormgeving en omslagen. Ik heb geen van mijn eerdere uitgaven bewaard, zoals ik van sommige boeken op een beduimeld voorleesvod na geen enkel exemplaar meer bezit. Twee titels heb ik zelfs helemaal niet meer. Waar mijn eigen exemplaren zijn gebleven weet ik werkelijk niet, waarschijnlijk heb ik ze veelvuldig weggegeven tijdens lezingen en aan kennissen. Veel van mijn vrienden vinden het onbegrijpelijk dat ik mijn eigen boeken niet beter heb gearchiveerd. Een collega-schrijver bewaart van iedere druk vijf exemplaren en van eerste drukken zelfs vijfentwintig. Mijn verweer is dat je boeken niet leest om de druk waarin ze zijn verschenen, maar om de zin van de zinnen. Boeken maak je niet om ze op te slaan, vacuüm te zuigen en te bewaren in een klimaatkast, boeken maak je om het plezier van het maken. Misschien noem ik mijn volgende boek *De prins en de prinses*.

Dansen

Onlangs heb ik iets gedaan waarvan ik niet had kunnen vrezen dat ik het ooit nog eens zou doen. Vroeger (jaaah, vroeger), onder een vervelend soort sociale drang, deed ik het nog weleens, maar met de jaren heb ik het gelukkig altijd kunnen laten. Mijn vrouw heeft het er vaak over (ik probeer de uitdrukking 'aan mijn kop zeuren' krampachtig niet te gebruiken) en wil dat ik me eraan overgeef, en steeds doe ik beloftes, toezeggingen en zweer ik op mijn erewoord dat ik het met haar zal doen, maar als het zover is weet ik me er met smoesjes altijd onderuit te lullen. Ik vermijd ook plekken waar ik het zou kunnen doen, of plekken waar mensen zijn die mij zouden kunnen verleiden het met me te doen.

Ik heb het over dansen, over de onzinnige gewoonte om je lichaam ritmisch te laten wapperen op muziek. Dansen. Ik snap dansen werkelijk niet, of wel, ik snap het wel: dansen is een soort voorspel op het voorspel, het voorbereiden van fysieke hand-en-spandiensten. Maar waarom dan niet het dansen overslaan en meteen aan het voorspel beginnen? Dansen is een soort carnaval. Je gaat met een groep normale, redelijke, volwassen mensen naar een uitgaansetablissement, je neemt plaats op een vloer met lampen, er klinkt dreunende muziek, iedereen begint plotseling gelukzalig en heel christelijk te lachen en homo-erotische bewegingen te maken — en dat noemen we dansen. Ik heb het mezelf zien doen, vroeger, jaren geleden, toen ik er nog door mijn vrouw of vrienden toe werd gedwongen.

Afgelopen week was er in de Winkel van Sinkel in Utrecht een grootse salsa-avond. Een vriend van mij speelde bas in het salsacombo dat daar moest optreden, hij nodigde me uit langs te komen en achteloos had ik ja gezegd. Nu moet ik bekennen dat de laatste keer dat ik oprecht, zonder terughoudendheid en met overgave heb gedanst was toen ik nog op de middelbare school zat en mijn vrienden en ik dansten op de muziek van New Order, The Cure en Forrest. Dat was muziek waarin je je afkeer van de wereld kwijt kon. Dansen op The Cure was een statement en dansen op The Cure was ook niet moeilijk. Je moest als het ware dansen alsof je aan een touw hing te bungelen. Je moest heel boos kijken en voortdurend denken aan zelfmoord. Dat je na het dansen nog zou blijken te leven was een godswonder.

In de Winkel van Sinkel werd er ook veel gedanst, en dit was een kapitale vergissing mijnerzijds. Ik dacht namelijk dat ik naar een salsaconcert zou gaan. Ik had me dan ook volkomen verkeerd gekleed. Alle mannen droegen strakke hippe T-shirts, brede hippe schouders, glimmende hippe broeken en grote hippe pikken, de vrouwen waren zo mogelijk nog schaarser gekleed met hier en daar een paar veters rond hun tepels, een keukendoekje voor hun kruis en dat was het dan wel. Ik had een wintertrui aan en in mijn achterzak droeg ik ongelogen een paraplu, want het regende toen ik van huis ging.

Nu danste iedereen om mij heen op de opzwepende salsaklanken van mijn vriends orkest. Je kunt als iedereen om je heen danst en jij niet je twee houdingen aanmeten. Je kunt naar buiten toe uitstralen dat je ontzettend goed salsa kunt dansen, maar dat je er toevallig even voor gekozen hebt om je heen te kijken naar de allerbeste mogelijke partner, dat je even inspiratie opdoet, dat je even wat nieuwe bijna onmogelijke pasjes aan het voorbereiden bent, én je kunt erbij staan zoals ik: dat je uit alle hoeken en poriën van je lichaam uitwalmt: alstjullie blieft, niet naar mij kijken, ik ben er niet, ik hoor hier niet, ik kan niet en ik wil niet dansen.

Waar ik bijna angstepilepsie in mijn sluitspieren van kreeg geschiedde: plotseling stond er vanuit de menigte een kennis voor me die verheugd 'Ronald' riep en meteen met me wilde dansen. Ze legde haar handen op mijn heup en mijn paraplu en begon haar lichaam tegen me aan te salsaën. Ik mag zeggen dat ik sinds zondag de uitvinder ben van een nieuwe dansstroming, de zogenaamde suïcidesalsa, een kruising tussen de bungeldans van The Cure en New Order en het uitbundige Caraïbische gehuppel. Het grootste godswonder was nog dat na afloop bleek dat ik het had overleefd, en nu doe ik het echt nooit, nooit meer, dansen.

R.L.K.

We kregen in ons eerste jaar Moderne Letterkunde een college poëzie van de illustere literatuurdocent en dichter R.L.K. Fokkema. Onze ouderejaars mentoren hadden al over hem verteld, met een mengeling van bewondering, angst en afschuw. Het was één uur 's middags en ons was niet duidelijk of R.L.K. waggelde van de drank die hij bij de lunch had ingenomen of van de drank die zijn lichaam aan het verwerken was van de nacht ervoor. Of van beide. R.L.K. opende het college met een doorleefde zucht. R.L.K.'s zuchten waren indrukwekkende klankgedichten. Literatuurstudenten zouden kunnen afstuderen op de zuchten van deze docent.

'Ik zal jullie uitleggen wat poëzie is,' mompelde R.L.K. ten slotte, met zijn hoofd gebogen en zijn handen steunend op de lessenaar. Hij had ons een minuut of vijf in bange afwachting laten sidderen, maar nu ging hij ons argeloze bijna-twintigers inwijden in de fascinerende wereld der poëzie.

'Een gedicht is een gedicht,' begon hij met een zweem van minachting in zijn stem, 'als het eruitziet als een gedicht en het is uitgegeven door een uitgeverij in Amsterdam. Die tweede voorwaarde is belangrijker dan de eerste.'

Hierna zweeg hij.

Om me heen maakten mensen aantekeningen. Een meisje naast me noteerde R.L.K.'s uitspraak letterlijk, om deze uit haar hoofd te kunnen leren voor het naderende tentamen (net als vrijwel alle letterenstudenten wilde ze het liefst gewoon dingen uit haar hoofd leren). R.L.K. zelf stond inmiddels alweer amechtig te zuchten.

'Meneer, dat kunt u niet menen,' riep ik nadat ik moed had verzameld. Het was halverwege de jaren tachtig, studenten waren mondiger dan de opgejaagde bleekneusjes van nu, maar toch boezemde het me angst in om R.L.K. te onderbreken. Ik was in die jaren, net als mijn hele generatie medestudenten, geïndoctrineerd met het idee dat literatuur en humor elkaar niet verdroegen, dat romans en vooral gedichten gortdroog en hyperserieus moesten zijn en met een verstikkend respect moesten worden benaderd. Aanmatigende uitspraken over zoiets diepdoorleefds als literatuur konden niet worden getolereerd.

R.L.K. keek me meewarig aan, met het begin van een glimlach.

'Ja hoor, dat meen ik wel,' zei hij. 'Laat me maar eens een gedicht lezen dat niet bij een Amsterdamse uitgever is verschenen, en ik zal je uitleggen waarom het geen poëzie is.'

In de weken die op dit college volgden heb ik dat inderdaad een aantal keer geprobeerd, pogingen die ik beter niet had kunnen ondernemen, want R.L.K. strafte mijn gedichten genadeloos af. Toen ik om hem te testen een keer een bewerkte vertaling van Baudelaire liet lezen en suggereerde dat het door een medestudent was geschreven, gaf hij het gedicht emotieloos terug, met de woorden: 'Beetje rottig vertaald, maar het kan ermee door.'

Ik moest aan R.L.K.'s boutade denken toen ik een paar weken geleden als gevolg van een uit de hand gelopen practical joke, voor een regionaal kunstprogramma een workshop 'oriënterend schrijven' moest volgen. Nu ben ik bereid over alles zoete broodjes te bakken en mijn mening in te slikken, behalve als het gaat om schrijven en literatuur. Er zijn in Nederland volgens onderzoek 600.000 mensen die de ambitie hebben om schrijver te worden, een ambitie die in 599.975 gevallen onterecht, aanmatigend of absurd is. Veel van deze lieden volgen schrijfcursussen en publiceren hun onmachtige taalbrouwsels op internet, en na lezing van dit gebroddel kunnen we — in navolging van R.L.K. Fokkema — niet anders concluderen dan dat literatuur literatuur is als zij lijkt op literatuur en zij verschijnt bij een uitgeverij die is aangesloten bij het Centraal Boekhuis, en niet anders. Nu heb ik in het verleden na afloop van lezingen regelmatig amateurschrijvers ontmoet die mij hun werk aanboden, zoals ik zelf teksten aan Fokkema liet lezen. Door schade en schande wijs geworden verwijs ik deze schrijvers door naar mijn uitgever, want als je eerlijk bent heb je er een vijand voor het leven bij en als je oneerlijk bent verloochen je je vak. Het gros van de amateurschrijvers heeft onrealistische zelfingenomen denkbeelden over hun schrijfsels, denkbeelden die niet hard genoeg de grond in gestampt kunnen worden.

Toen ik als afvallige student Letteren bij een Amsterdamse uitgeverij debuteerde met een roman stuurde R.L.K. Fokkema me een gedeelte van een menukaart van een restaurant uit Soest dat in mijn boek voorkwam. 'Je boek was beter dan het eten,' had hij tussen de gerechten geschreven, voor zijn doen een compliment van ontuimelbare hoogte. In april 2000 overleed hij. Laten wij die hem gekend hebben hem herdenken met veel drank.

Een raar mens

Margreet van de Stichting Schrijvers School Samenleving belde me, en aan haar intonatie hoorde ik meteen dat ze zich bezwaard voelde. Ze had een uitnodiging voor een lezing, zei ze aarzelend, maar ze raadde me op voorhand aan er niet op in te gaan. De uitnodiging kwam van, wat Margreet noemde, een 'raar mens'. Dat rare mens (vanwege de privacy zal ik haar D. noemen) werd vijftig jaar en wilde zichzelf een gigantisch nachtelijk feest cadeau doen. Er zou muziek zijn van haar favoriete bands, haar favoriete hapjes zouden worden geserveerd en ook haar favoriete schrijver zou langs moeten komen om haar favoriete passages voor te dragen. Die schrijver was ik (nadat Kees van Kooten en Remco Campert niet konden). Ergo: of ik — tegen ruime prostitutionele betaling — een van D.'s verjaardagshapjes wilde zijn.

'Ik raad je nogmaals aan het niet te doen,' zei Margreet, waarna ze verzuchtte: 'Maar dat is geloof ik tegen dovemansoren gezegd, want ik hoor aan jouw zwijgen dat je nieuwsgierig bent.' Twee maanden later reed ik om een uur of elf 's avonds naar Amsterdam. Mijn zin in het feestje was al een stuk getemperd, want inmiddels had ik D. aan de telefoon gehad. Margreets omschrijving 'een raar mens' klopte terdege. D. had de stem en de intonatie van een gemiddelde negenenveertigjarige, maar haar taalgebruik was puberaler dan ik pubers ooit heb horen praten. Ik vroeg D. welke stukken ze op haar verjaardag voorgelezen wilde hebben.

'Zo grof en geil mogelijk,' antwoordde ze zonder te slikken.

'Mijn familie zit er, al mijn vrienden, mijn collega's en ik wil de boel eens goed oppoken. Dus veel gore seks. En over pijpen, en zo.'

'Prima,' antwoordde ik voorzichtig.

De avond zelf was er een om bij te schrijven in het Grote Boek der Gênante Situaties. D. ging gekleed in gewaden van haar favoriete ontwerper, ieder uur vertrok ze naar een belendende kleedkamer voor een *grand lever*, waarna ze in een nieuwe outfit weer terugkwam. Dit feest voor haar vijftigste verjaardag was haar *shining moment*, een toppunt van de ijsberg van haar menopauze. Mijn lezing stond gepland om half een, maar doordat D. alle feestgangers publiekelijk aan alle andere feestgangers ging voorstellen (waarbij intimiteiten als overspeligheid en impotentie niet werden verzwegen), liep dit uit tot twee uur. Nadat ik eindelijk had mogen beginnen (ik had een selectie gemaakt van prikkelende maar niet heel choquerende teksten), onderbrak D. mij voortdurend door er wisecracks en oneliners doorheen te roepen. Dit deed ze aanvankelijk vanaf haar positie op de eerste rij, maar na verloop van tijd kwam ze naast me staan om haar interrupties in de microfoon te brullen. Op een gegeven moment vond ze dat ik niet pornografisch genoeg voorlas.

'Wacht maar, ik doe het wel!' riep ze, tot hilariteit van de grotendeels beschaamde toehoorders, waarna ze mijn boek van me overnam. Een gilles-de-la-tourettepatiënt zou het haar niet hebben verbeterd: alle woorden die in de richting van schuttingtaal of ranzigheid kwamen, blafte ze eruit: 'Gulpje vraagt hoe of ik PIJP! Ze wil weten of ik met mijn tong draai als ik een jongen AFZUIG!'

Na afloop van mijn voorleesbeurt vroeg ze nog publiekelijk of ze me minder mocht betalen, omdat ze de helft van mijn verhaal zelf had voorgelezen, waarna ze ook aankondigde dat ik het hele feest tot en met het ontbijt zou blijven en dat vrouwen die gebruik van mij wensten te maken zich konden melden. Uit beleefdheid en uit een professionele interesse in sociologische experimenten ben ik nog een half uur gebleven, maar toen een zestigjarige vrouw type Mathilde Willink mij kwam vertellen dat ze erg viel op jongemannen als ik, werd het tijd om te gaan. Margreet had gelijk gehad.

En toen kwam het staartje. Een paar weken na dit optreden werd ik op mijn mobiele nummer gebeld door D., die helemaal astmatisch van opwinding begon te roepen dat ze een house-warmingfeest zou geven en dat ik daar wegens gigantisch succes weer moest komen voorlezen. Ik heb een zogenaamde vertragingstactiek ontwikkeld voor dit soort situaties.

'Ik kan niets beloven en ik ben nu heel druk, maar bel me later,' antwoordde ik, haar nummer in mijn geheugen programmerend. Meestal werkt het in dit soort situaties: niet opnemen en niet terugbellen, en hopen dat het opdroogt. In geval van D. werkte het niet. D. begon een waar beloffensief, dat ik steeds wist te pareren. Maar één keer, het was een uur of half twee 's nachts en ik zat met vrienden in het café, nam ik achteloos mijn telefoon aan.

'D., besef je hoe laat het is? Bel me van de week,' riep ik.

'Ja maar, ik wilde alleen maar even iemand jouw grappige voicemail laten horen.'

Mijn voicemail en D. hadden namelijk een vrij eenzijdige relatie opgebouwd. Iedere dag sprak D. berichtjes in. Dat begon onschuldig (ze vertelde me welke andere Nederlandse schrijvers ze nog meer ging uitnodigen voor haar feest, Kees van Kooten en Remco Campert bijvoorbeeld) en eindigde als co-writer. D. dacht dat ze zich de taal van mijn personages Phileine en Gulpje had toegeëigend en wilde dat ik weer een roman over die twee ging schrijven.

'Ik heb allemaal oneliners voor je geschreven,' vertelde ze aan mijn voicemail, 'wel een stuk of vierhonderd. Grappig joh! Mag je zo gebruiken. Ik wil wel vijfentwintig euro per oneliner, want ik zit financieel krap en we doen niets voor niets, toch? Hier moet je horen. Gillen. "Ik zit wat aan mijn kutje, spuit maar met je prutje." Mag je zo hebben. Gillen, toch?'

Dat was inderdaad gillen. Zo gillen dat ik in arren moede Margreet moest bellen.

'Margreet, ik zit met een probleem,' zei ik.

'Laat me raden,' zei Margreet. 'D.?'

Margreet bood aan D. even te bellen, zoals moeders hun kinderen weleens aanbieden verhaal te gaan halen bij de ouders van pestkoppen.

'Wil je dat doen?' vroeg ik.

Margreet lachte hartelijk, en we wisten op dat moment allebei dat ik haar adviezen nooit meer in de wind zou slaan.

Poep

Het publiek is altijd erg geïnteresseerd in 'de mens achter de schrijver'. En vaak ook in de *mensjes* achter de schrijver. Die mensjes zijn twee zoontjes en een dochter. Mijn oudste zoon zit te tekenen aan tafel. Het is bijna voorjaar, maar dat weerhoudt hem er niet van om een stoomboot te tekenen met twee sinterklazen, vijf bontgekleurde pieten en heel veel cadeautjes. Mijn dochter zit voor me, haar rug bloot, haar hoofd in haar schoot. Ze kijkt me met een rooie kop strak aan. Geweldig hoe kinderen zonder schaamte en in het bijzijn van anderen rustig kunnen poepen (ik kan alleen mijn sluitspieren ontspannen als blauwhelmen van de Verenigde Naties met afweergeschut en mortieren een *safe area* om mijn toilet hebben gelegd). Mijn dochtertje perst en kreunt, maar blijft me strak aankijken. Dan hoor ik een beetje een traag, vettig geluid op het plastic van haar po, waarna mijn dochtertje zich direct vrolijk opricht.

'Goed poep,' zegt ze verheugd.

'Ja,' vraag ik, 'heb je goed gepoept?'

'Goed poep.'

'Mooi.'

Ja, wij hebben haar en haar broer geleerd dat poep 'poep' heet. Dat was nog een behoorlijk discussiepunt in ons jonge gezin. Mijn ouders waren namelijk 'druk'-zeggers, en daarom ben ik dat tot ver in mijn puberteit ook geweest. Wij poepten niet, wij *drukten* (toen ik eenmaal studeerde ben ik ongemerkt van drukken overgestapt op het eloquentere ontlasten en toiletteren, en nog later op kakken, bouten, beren en wat voor studentikoze en grove benamingen er meer waren te bedenken). Bij de familie van mijn vrouw werd er niet gedrukt, maar gewoon ordinair gepoept, en niet zo'n beetje ook. Toen onze kinderen begonnen te praten borrelde derhalve op een gegeven moment de vraag: gaan we drukken of poepen in dit huis (de andere werkwoorden leken mij niet gepast voor een kind, want het zou misschien wel grappig klinken, maar ook een beetje zielig als een ventje van drie met zijn po in zijn hand zou aankondigen: 'mamma, ik ga even een bout naggelen').

Het grote poep/druk-debat was een variant op de genitaliëndiscussie. Neem bijvoorbeeld het *membrum virile* van mijn zoontje. Hoe gingen wij die noemen, en belangrijker: hoe ging hij die zelf noemen? Zelf sprak ik aanvankelijk — mijn zoontje kon nog nauwelijks praten — gekscherend over zijn 'knotsie', maar dat vond mijn vrouw een behoorlijk lullige omschrijving. Nu vind ik 'piel' of 'pieletje' geen prettig woord voor een kind, en echte koolzuurboeren als 'pik' en 'lul' zijn natuurlijk sowieso uitgesloten, zelfs als zij in de verkleinvorm worden gebruikt. Hetzelfde geldt voor 'gaatje' en 'kutje', die kunnen echt niet. 'Voorbibs' is een ultiem dom woord en 'vagijntje' klinkt te gezocht. Ook op het woord 'plasser' heb ik een veto uitgesproken, want tot de puberteit is dat inderdaad de enige functie van het ding, maar daarna komt er hopelijk nog eentje bij. Volgens mij beïnvloedt het het liefdesleven van een mens als hij of zij de eerste tien jaar van zijn of haar verbale leven ingeprent heeft gekregen dat zijn benedenbuikse lubbertuitje dan wel flubberhoekje uitsluitend bedoeld is om te plassen. Na soebatten en discussiëren kwamen mijn vrouw en ik op het compromis 'piemel' en 'spleetje', waarbij we sterk hopen dat als ze eenmaal hun adolescentie hebben bereikt zij deze omschrijvingen in de ban doen (want niets is lulliger dan een volwassen kerel die het serieus over zijn piemel heeft).

Mijn zoon roept vanaf zijn tekentafel dat het begint te stinken in de huiskamer.

'Dat is omdat je zusje heeft gepoept,' zeg ik.

'Gadverdamme,' roept hij.

'Iedereen poept,' zeg ik verantwoord. 'Poepen is heel normaal.'

Intussen begint het inderdaad enorm te walmen in de kamer. Dat er uit zo'n klein lijfje zo'n stank kan komen.

Mijn zoon wil weten wat poep is, en dit is zo'n moment waarop ik mijn verantwoordelijkheid als ouder voel en hem helder probeer in te wijden in de fascinerende wereld der fecaliën.

'Maar waaróm poepen we?' vraagt hij ongeduldig.

'Omdat...' begin ik aarzelend, en even weet ik het antwoord zelf ook niet. 'Poep is afval,' zeg ik, alsof het heel logisch is.

'Maar waarom éten we dan niet minder?'

Tja. Kom daar eens om bij de grote filosofen. De redeneerkunde van kinderen. Waarom gaat Sinterklaas niet dood? Waarom spreekt Sinterklaas geen Spaans? Stamt Sinterklaas ook af van de chimpansees?

Dan schiet mijn dochter plotseling overeind en als een mandrilaapje biedt ze me pardoes haar blote achterwerkje aan. Omdat ik een paar seconden lang niets onderneem (kijkend naar haar minimensenbillen), zegt ze dwingend: 'Afvégen.'

O ja. Ik scheur een paar toiletvellen af van de gereedliggende rol, maak mijn dochters billen schoon, en vervolgens lopen we samen naar de wc. Mijn dochter tilt de po trots zelf. Mijn zoon verlaat nu zijn tekentafel en komt bij ons staan.

'Hé, wat een mooie drol,' zegt hij tegen zijn zusje, de blije opgewektheid van ons imiterend. Blijkbaar bang dat mijn zoon haar keuteltje af wil pakken en zelf in de pot wil laten vallen, roept ze agressief: 'Van mij! Van MIJ!' Vervolgens krijgen de mensjes achter de schrijver een fascinerende discussie over het bezitrecht van een drol. Kom dáár eens om bij de grote filosofen.

Verantwoording

Deze columns verschenen eerder in *de Volkskrant* in de periode juni tot en met december 2008. 'Toch' is bovendien gedeeltelijk opgenomen in *Keukenprins*, Uitgeverij Podium, 2008.

Het bonusmateriaal verscheen eerder in *Rails*, met uitzondering van 'Een raar mens', dat werd gepubliceerd op de website van *de Volkskrant*. 'Poep' was bovendien in bewerkte versie terug te vinden in de theatervoorstelling *Giphart & Chabot met Bril* uit 2006.

7	Bril (3 juni)
10	Pijnstilte (4 juni)
13	Retteketet! (5 juni)
16	Het zina met de ogen (6 juni)
19	Van ontzag naar respect (9 juni)
22	Zelfmedelijden (10 juni)
25	Stoïcijn (11 juni)
28	Maurice (12 juni)
31	Het Oranjeorganisme (13 juni)
34	Jonge-jongensbeloften (16 juni)
36	De glimlach van mijn zoon (17 juni)
38	Bier en tieten (18 juni)
41	Verlangen naar herhaling (19 juni)
43	Verslagenheid (20 juni)
45	Feest! (23 juni)
48	African handshake (24 juni)
51	Toch (25 juni)
53	In het donker zonder matras (26 juni)
55	Brandgang (8 juli)
57	Hersenschudding (9 juli)
59	Doe Maar 1982 (15 juli)

61   Doe Maar 2008 (16 juli)

63   Bootsop (17 juli)

66   De erotische leefgemeenschap (18 juli)

68   Het gezicht van haat (23 juli)

71   God verdoeme mij (25 juli)

74   Gaming (29 augustus)

77   Trampoline (5 augustus)

80   Geweld op tv (6 augustus)

83   Misantroop (7 augustus)

86   Le Bonheur de Chine (8 augustus)

89   Euthanasie light (11 augustus)

91   Eerbiedige stilte (12 augustus)

94   Breaking news (14 augustus)

97   Mijn vrouw (15 augustus)

100   Marie en haar Mari (19 augustus)

102   Shakespeare (20 augustus)

105   Proosten naar de sterren (21 augustus)

108   Champagne (22 augustus)

110   Geritsel in de nacht (25 augustus)

112   Chattes panoramique (26 augustus)

115   Ontboezeming (27 augustus)

118   Telegraaf (28 augustus)

120   Furor brittannorum (29 augustus)

123   De grote brand (1 september)

125   Seizoensgids (2 september)

128   Poepewitte zuurkool (4 september)

131   Kinderkrabbels (5 september)

134   Zen en de onmacht (8 september)

137   De tolk in mijn hoofd (9 september)

140   Bootsjunge (10 september)

143   Tot op het bot verraden (11 september)

146   Kicks voor niks (12 september)

148   Voetbal is liefde (15 september)

151   Vriend van Peter (16 september)

154   Fokking mieters (17 september)

157   Aarhgrghehh (18 september)

160   Zuchtmeisje (19 september)

163   Nazomer (22 september)

165   Krakend water (24 september)

168 Heilig vuur (25 september)
171 Jurk (26 september)
174 Teen spirit (30 september)
177 Hoofdkantoor (2 oktober)
179 Trekkerangst (7 oktober)
181 Neerstorten (14 oktober)
184 Gozo (16 oktober)
187 Links (21 oktober)
189 Monniken (23 oktober)
192 Joseph (28 oktober)
195 Goede manieren (30 oktober)
197 De baas van Amerika (4 november)
200 Obama-moeheid (6 november)
203 Dissen (11 november)
206 Jij bent bijzonder (13 november)
209 Nepnegers (18 november)
212 Victorie (20 november)
215 Waterkandidaten (25 november)
218 De dood van een elfjarige (27 november)
221 Schuldige gebouwen (2 december)
224 Ik weet het niet (4 december)
227 Familiecomedy (9 december)
230 Jezus: 'Mohammed is ongeloofwaardig' (11 december)
233 Kerstborrel (16 december)
236 Ononderbroken dronken (18 december)
239 Het evangelie van Simon (23 december)
242 Onverantwoord vuurwerk (30 december)

Bonusmateriaal
247 Interview met mijn zoon (31 maart 2003)
251 De prins en de prinses (6 mei 2003)
254 Dansen (28 mei 2003)
257 R.L.K. (25 februari 2004)
260 Een raar mens (8 september 2004)
264 Poep (16 januari 2003)